Peribáñez y el Comendador de Ocaña

Lope de Vega

Peribáñez
y el Comendador de Ocaña

Edición de Juan María Marín

TRIGESIMOPRIMERA EDICIÓN

CÁTEDRA

LETRAS HISPÁNICAS

1.ª edición, 1979
31.ª edición, 2022

Ilustración de cubierta: Sánchez Calderón

PAPEL DE FIBRA
CERTIFICADA

© Ediciones Cátedra (Grupo Anaya, S. A.), 1979, 2022
Juan Ignacio Luca de Tena, 15. 28027 Madrid
Depósito legal: M. 31.837-2009
ISBN: 978-84-376-0170-0
Printed in Spain

Índice

Introducción

Lope de Vega. Grabado de 1602.

El autor

Lope Félix de Vega Carpio nació en Madrid el día 25 de noviembre de 1562, en el seno de una familia oriunda de la Montaña y de escasa fortuna[1]. Su padre era un conocido bordador. Sus primeros estudios los cursó con los jesuitas, en el colegio madrileño de los Teatinos. Durante algún tiempo estudió en la Universidad de Alcalá (de 1577 a 1581 o 1582), cuando estaba al servicio del obispo don Jerónimo Manrique. Probablemente también siguió un curso en la de Salamanca.

Su vida estuvo unida a cinco mujeres fundamentalmente, aunque existieron algunas más con las que su relación no fue tan intensa (Antonia Trillo, Jerónima Burgos...).

Con la primera, Elena Osorio, que era hija del actor Jerónimo Velázquez y que estaba separada del marido, tuvo amores entre 1583 y 1587, hasta que ella lo abandonó por Francisco Perrenot, hombre de mayor fortuna que Lope. A ésta van dedicados diversos poemas en los que aparece con el nombre de *Filis*. Sus relaciones se narran en *La Dorotea*. Lope, al verse despechado, escribió unos versos en los que insultaba a Elena y a su familia[2]. Fue denunciado por injurias y de-

---

[1] Sobre la biografía de Lope existe la siguiente bibliografía esencial: H. A. Rennert y A. Castro, *Vida de Lope de Vega*, Salamanca, Anaya, 1968; K. Vossler, *Lope de Vega y su tiempo*, Madrid, Revista de Occidente, 1933; L. Astrana Marín, *Vida azarosa de Lope de Vega*, Barcelona, 2.ª ed., 1941; J. de Entrambasaguas, *Vida de Lope de Vega*, Barcelona, 2.ª ed., 1942; A. Zamora Vicente, *Lope de Vega. Su vida y su obra*, Madrid, 1961 y F. Lázaro Carreter, *Lope de Vega. Introducción a su vida y obra*, Salamanca, Anaya, 1966.
[2] Cfr. *Proceso de Lope de Vega por libelos contra unos cómicos*, anotado por D. A. Tomillo y D. C. Pérez Pastor, Madrid, 1901; y J. de Entrambasaguas, «Los famo-

tenido en diciembre de 1587. Se le condenó a cuatro años de destierro de Madrid, y a dos años del reino de Castilla, pero la primera pena se le duplicó por volver a las injurias estando en la cárcel. El destierro lo pasó en gran parte en Valencia, en donde se puso en contacto con la escuela dramática más importante de aquellos años[3].

La segunda mujer fue Isabel de Urbina, de familia patricia, con la que se casó por poderes en 1588, después de haberla raptado y para evitar que el nuevo proceso contra él, originado por el rapto, continuara adelante[4]. Con el nombre de *Belisa* aparece en varios romances pastoriles del *Romancero General*.

Lope se alistó al poco tiempo en la Armada Invencible[5]. También por esta época sirvió al Duque de Alba (desde 1590, cuando pasó a vivir en Toledo y en Alba de Tormes, donde conoció estrechamente el ambiente y los modos cortesanos). Escribió una novela pastoril, *La Arcadia*, que sería publicada en 1598. En 1594 muere su mujer y al año siguiente se le perdona lo que le quedaba de destierro.

Su tercer gran amor fue Micaela Luján, mujer extraordinariamente inculta, también casada, a la que ya antes había dedicado versos —en los que aparece con el nombre de *Celia* y luego con el de *Camila Lucinda*[6]—. A ella estuvo unido hasta 1608, es decir, justamente en los años en que Lope pasó a ser el poeta dramático de mayor relieve. Por aquellos años fue secretario, primero, del Marqués de Malpica y, después, del Marqués de Sarria, que sería más tarde Conde de Lemos.

La cuarta mujer de su vida fue Juana de Guardo, con la que contrajo matrimonio en 1598, según parece, movido por

---

sos "libelos contra unos cómicos" de Lope de Vega», en *Estudios sobre Lope de Vega*, Madrid, vol. III, 1958, págs. 9-74.

[3] Véase R. Froldi, *Lope de Vega y la formación de la comedia*, Salamanca, Anaya, 1973; y *Poetas dramáticos valencianos*, edición de E. Juliá Martínez, Madrid, 1929.

[4] N. Alonso Cortés, «Doña Isabel de Urbina, primera mujer de Lope de Vega», en *Boletín de la Real Academia Española*, XIV, 1927.

[5] Cfr. J. Millé y Giménez, «Lope de Vega en la Armada Invencible», en *Revue Hispanique*, LVI, 1922, págs. 356-395; y R. Schevill, «Lope de Vega and the Year 1588», en *Hispanic Review*, IX, 1941, págs. 65-78.

[6] Cfr. R. Rodríguez Marín, «Lope de Vega y Camila Lucinda», en *Boletín de la Real Academia Española*, I, 1914, págs. 249-296.

intereses económicos más que sentimentales, tal vez atraído por la dote de 22.382 reales que, sin embargo, nunca llegaron a ser del Fénix.

En 1598 publica *La Dragontea,* un poema épico, y en 1599 *El Isidro,* obra sobre el santo patrón de Madrid que sería canonizado años más tarde, en 1622. A partir de 1605 sirvió como secretario de cartas al joven Duque de Sessa, el mismo año en que terminó la redacción de *La Jerusalén conquistada* que se publicaría en 1609.

Como ya dijimos, en 1608 rompió con Micaela Luján y Lope intensificó su vida de familia. El matrimonio había fijado su domicilio en una acogedora casa de la calle de los Francos —hoy de Cervantes— en Madrid.

En 1609, Lope goza de una notable reputación como dramaturgo, hasta el punto de publicar una auténtica Poética de la comedia nueva, que era la denominación de los dramas escritos al nuevo uso y a espaldas de las normativas clásicas, y codifica ciertas recomendaciones y normas en su *Arte nuevo de hacer comedias.*

Pero muy graves sucesos vinieron a romper su felicidad. En 1612 muere su hijo Carlos y, al año siguiente, su mujer. Estos sucesos produjeron una honda conmoción en el poeta quien se decidió a abrazar el sacerdocio. En 1614 cantaba su primera misa[7]. Por estos años la vida espiritual del Fénix es muy rica, como puede apreciarse en los libros que publica: *Pastores de Belén* (1612) y *Rimas sacras* (1614). Lope se entrega con entusiasmo a su sagrado ministerio.

Cuando termina el año de 1616 conoce a Marta de Nevares —*Amarilis* y *Marcia Leonarda* en los versos[8]—, la quinta mujer de su vida, con la que vivió unos amores sacrílegos y trágicos. Marta tenía apenas veintiséis años y era casada. Ya en 1623 estaba ciega y Lope la cuidó hasta 1632, año en que murió, tras pasar penosamente sus últimos años, víctima de la locura.

---

[7] Cfr. C. Morcillo, *Lope de Vega, sacerdote,* Madrid, 1934.
[8] Véase F. Asenjo Barbieri, *Últimos amores de Lope de Vega Carpio,* Madrid, 1876; y P. Vázquez Cuesta, «Nuevos datos sobre doña Marta de Nevares», en *Revista de Filología Española,* XXI, 1947, págs. 86-107.

Lope vivió los años finales de su vida serenamente, entregado a sus tareas religiosas. El día 27 de agosto de 1635 moría. Su entierro fue un acto multitudinario al que asistió todo Madrid.

En su dilatada vida, Lope había escrito infinidad de obras pertenecientes a todos los géneros —novelas, romances, poemas líricos y épicos, autos sacramentales, comedias...—, pero, sin duda, su labor más meritoria residió en la creación del teatro nacional. Lope es la frontera que separa el teatro antiguo del moderno. Supo asimilar a los clásicos e hizo virar los modos de composición en busca de un espectáculo que satisficiera a los hombres de su tiempo. Consiguió sintonizar con los gustos de su público y éste lo mitificó. El Monstruo de la Naturaleza se vio obligado a escribir con mayor celeridad de la conveniente. Él mismo se vanagloriaba de haber compuesto 1.800 comedias y 400 autos. Aunque la atribución parece exagerada, la obra de Lope fue amplísima. Téngase en cuenta lo que se deduce de la consulta del índice de obras que Lope presenta en *El peregrino en su patria*. En la edición de 1618 aduce 429 títulos que no estaban en la primera, la de 1604, lo cual da una media de casi tres obras mensuales. Una producción tan extensa tenía necesariamente que ser irregular.

Entre sus obras hay verdaderos logros como son *Fuenteovejuna, El mejor alcalde, el rey, El castigo sin venganza, El caballero de Olmedo, Los siete infantes de Lara* y, sobre todo, *Peribáñez y el Comendador de Ocaña,* uno de los dramas más intensamente líricos del teatro barroco.

Para su comprensión en profundidad nos es preciso recordar ciertas claves históricas, como es la dinámica social de la España del siglo XVII, así como otras de carácter literario, como es el género de las «Comedias de Comendadores», género al que pertenece nuestro drama.

LA DINÁMICA SOCIAL DE LA ESPAÑA DEL SIGLO XVII

La sociedad española del siglo XVII estaba fuertemente estratificada en diversos estamentos estancos, los cuales disponían de unas funciones sociales concretas, y cuyas interrelaciones estaban perfectamente codificadas y reglamentadas.

Las raíces de tal organización se clavaban en la época medieval, durante la cual se pensaba que a cada individuo ads-
crito a una clase correspondían unas funciones, una posición
e, incluso, unas determinadas virtudes. Pero el fenómeno entró en crisis con el Renacimiento: se fue abriendo paso la
creencia individualista de que no existía correspondencia entre la adscripción social y los valores personales[9]. A finales
del siglo XVI, sin embargo, se intenta reponer el sistema tradicional con las necesarias modificaciones, y nos encontramos
con la ordenación social que pasamos a describir[10].

Téngase en cuenta previamente que se creía en el sistema
de la rigurosa estratificación y que las gentes aceptaban, incluso, el origen divino o natural de tal organización, pensando que sólo si se respetaba, se alcanzarían la felicidad personal y el orden y la armonía colectiva.

En la cúspide de la pirámide social se encontraba la familia
real. El rey era el señor absoluto de todos los ciudadanos. Es
un auténtico vice-Dios o Dios en la tierra como repiten insis-
tentemente las comedias:

> —Son divinidad los reyes (Lope de Vega, *El rey don Pedro
> en Madrid*).

> —Que es deidad el rey más malo
> en que a Dios se ha de adorar *(ibíd.).*

> —El rey es Dios en la tierra (Vélez de Guevara, *La serrana
> de la Vera).*

Y ese carácter divino de la monarquía evita toda posible
responsabilidad y justifica el uso absoluto del poder. E. Forastieri lo enuncia acertadamente: «Se trataba de la teoría de
la *descendencia teocrática* de toda virtualidad de poder, justicia
y favor que eran transferidos al monarca en la unción»[11].

---

[9] Cfr. J. A. Maravall, *El mundo social de «La Celestina»*, Madrid, Gredos,
2.ª ed., 1968.

[10] Véase fundamentalmente el estudio de Domínguez Ortiz, *La sociedad
española en el siglo XVII*, Madrid, 1963.

[11] E. Forastieri, *Aproximación estructural al teatro de Lope de Vega*, Madrid,
Hispanova de Ediciones, 1976, pág. 70.

El estamento nobiliar, por su parte, estaba compuesto por tres grandes grupos: la nobleza alta o los *ricoshombres,* la nobleza media o los *caballeros* y la nobleza menor o los *hidalgos.*

Los *ricoshombres* eran los nobles de título (duques, marqueses, condes...), dueños de elevadísimas rentas y que habitualmente vivían en el campo, aunque durante el reinado de Felipe II habían cambiado su hábitat tradicional por el urbano.

Los *caballeros,* «nobles sin título, y de ordinario sin capital, segundones que siempre andaban en pleitos con sus mayorazgos para conseguir la exigua subvención que debían darles *para alimentos,* y que no tenían más camino que las letras o las armas (iglesia o casa real) para llegar a la opulencia»[12]. Se inscribían en este estamento los que pertenecían a las Órdenes Militares tales como las de Santiago, Calatrava, Alcántara, etc., a las que pertenecían los Maestres y Comendadores de los dramas barrocos.

Los *hidalgos* eran también limpios de sangre pero de recursos limitadísimos. Vivían de pequeñas rentas o bien del ejercicio de las armas en la milicia.

Por otra parte, existía la burguesía que había acumulado riqueza en pequeños y grandes negocios, en actividades menospreciadas por la comunidad cristiana como eran la industria, el comercio, las finanzas, etc. Dado ese prejuicio, la burguesía se surtió sobre todo de conversos, pues habían sido los judíos y los musulmanes los que se habían dedicado a cultivar estas artes. La burguesía, en consecuencia, fue, como clase, mal vista tanto por la nobleza como por el bajo pueblo, parapetados unos y otros tras su condición de cristianos viejos.

La pirámide social contaba con una amplia base, compuesta de menestrales y labradores que se encontraban en una penosísima situación, sosteniendo por sí solos todo el aparato de un gobierno burocrático que les suponía fortísimos impuestos, y dedicados a una agricultura abandonada

---

[12] M. Herrero, «Ideología española del siglo XVII. La nobleza», en *Revista de Filología Española,* XIV, 1927, pág. 170.

de la mano de Dios en beneficio de los privilegios de la Mesta que pertenecía a los grandes.

A cada clase, como decíamos, correspondían unos deberes y unos derechos perfectamente reglamentados. La movilidad en la escala social era prácticamente inexistente, salvo en casos muy aislados. Interesaba su mantenimiento y el poder usó de todas las palancas para defender dicha ordenación. Para muchos críticos una de ellas fue el teatro. Como único espectáculo de masas que era, sirvió como vehículo de propaganda oficial, equivalente al cine y la televisión de nuestra época. Tal interpretación arranca del extraordinario trabajo de N. Salomon[13] y ha sido seguido sobre todo por J. A. Maravall[14] y J. M. Díez Borque[15] entre los estudiosos españoles. Según estos trabajos, se difundieron desde el escenario cuáles eran los rasgos definitorios de cada clase social, cuál su visión del mundo, cuáles sus hábitos[16]. El teatro mostraba la imagen de esa sociedad con un orden estamental que reflejaba el orden celestial. Maravall lo enuncia con términos tajantes: «Con todo ello lo que se pretende es alcanzar, en su sensibilidad, en su ideología, a los presentes, a quienes se propone atraer a una concepción de la sociedad y de los hombres, en cuyos intereses se orienta, en su base social, la cultura»[17].

No queremos pasar esta ocasión sin dejar de hacer algunas observaciones a estas teorías. Evidentemente, el poder se interesó por el teatro, consciente de que en sus manos tenía un magnífico instrumento de educación y de manipulación. Muchos de los dramas barrocos se comportan como auténti-

---

[13] N. Salomon, *Recherches sur le thème paysan dans la «Comedia» au temps de Lope de Vega*, Bordeaux, Institut d'Études Ibériques et Ibéroaméricaines de l'Université de Bordeaux, 1965.

[14] Aunque sostiene dicha interpretación en varias obras, véase sobre todo la titulada *Teatro y Literatura en la sociedad barroca*, Madrid, Seminarios y Ediciones, 1972.

[15] Son varios los trabajos de Díez Borque en este sentido. Tal vez el más representativo sea su *Sociología de la comedia española del siglo XVII*, Madrid, Cátedra, 1976.

[16] Cfr. Ch. V. Aubrun, *La comedia española. 1600-1680*, Madrid, Taurus, 1968.

[17] Maravall, *Teatro y Literatura...*, cit., pág. 27.

cos espectáculos de propaganda al servicio de la monarquía absoluta y de defensa de una sociedad fuertemente jerarquizada. Sin embargo, explicar todos los dramas de la época —varios miles— desde esos planteamientos parece exagerado. J. M. Rozas apunta una idea extraordinariamente sugestiva en su breve trabajo sobre el *Arte nuevo de hacer comedias:* «Con frecuencia la primera acción lopista, la del conflicto, es intrahistórica, y la segunda, la del rey, histórica. Pues bien, podemos decir que, mientras que la segunda mira al sistema y hace propaganda de él, la primera ve sus conflictos particulares, los retrata y, a veces, los denuncia. Se crea así una interacción entre las dos acciones de valor ideológico, pero sobre todo de mayor valor estético, pues la literatura es primero un testimonio artístico y luego otras cosas»[18]. Efectivamente, con los planteamientos de estos críticos citados, corremos el riesgo de olvidarnos de que Lope de Vega y su escuela fueron ante todo artistas. Tal vez la aplicación de la dicotomía denuncia-visión intrahistórica-primera acción/propaganda-visión histórica-segunda acción puede ser un método de riquísimos resultados si es aplicado a obras como *Fuenteovejuna,* por ejemplo. (Sin embargo, como veremos, *Peribáñez* pertenece a otro tipo de realidades.)

EL TEMA DEL HONOR

En esa sociedad estratificada, el estamento nobiliar gozaba de uno de los más curiosos privilegios: la ostentación del honor[18bis]. Las clases más modestas no tenían acceso a aquel bien. Planteémonos seguidamente toda la problemática que afecta a este tema.

---

[18] J. M. Rozas, *Significado y doctrina del «Arte Nuevo» de Lope de Vega,* Madrid, SGEL, 1976, pág. 159.

[18bis] Véase sobre el tema la bibliografía selecta preparada por J. Artiles en su artículo «Bibliografía sobre el problema del honor y la honra en el drama español», en *Filología y Crítica Hispánica. Homenaje al profesor Federico Sánchez Escribano,* edición de A. Porqueras Mayo y C. Rojas, Madrid, Alcalá, 1969, págs. 235-241.

Cualquier lector medianamente familiarizado con el teatro barroco sabe que un elevado índice de esas obras tienen, como motivo dramático fundamental, una cuestión de honor. Y esto es así porque el público del siglo XVII se deleitaba, especialmente, al contemplar en el escenario aventuras relacionadas con dicho tema. La comedia nueva, siempre atenta a los gustos del público, no podía por menos que ofrecer también en este punto justamente lo que se le demandaba. El propio Lope de Vega, en su *Arte nuevo de hacer comedias*, confiesa que el tema gozaba del favor de los espectadores:

> Los casos de honra son mejores
> porque mueven con fuerza a toda gente[19]
> (vv. 327-328).

Como el público prefería este asunto a otros, el dramaturgo, por su parte, se limitaba a tratar lo que sabía que era de éxito seguro. Era la moda, lo «comercial». Pero el fenómeno de la proliferación de obras que versan sobre este tema no se puede justificar sólo con esta causa. Hay otras.

Los escritores acudían en busca de asuntos para sus comedias a las *Crónicas* y al *Romancero*, y junto a las líneas maestras de las historias, tomaban la concepción de la vida y los intereses de aquel mundo heroico medieval. Los héroes antiguos se engrandecían por medio de la venganza tal y como se plasmaba en las epopeyas. Cuando éstas tomaron forma de *Crónicas* y de *Romancero*, pasaron a éstos aquellas concepciones. El autor barroco, al acudir a estas fuentes en busca de asuntos para sus comedias, junto a éstos tomaba aquella concepción de lo heroico. Menéndez Pidal[20] explica de este modo por qué el tratamiento del tema de la honra fue tan intenso en nuestro Siglo de Oro, mientras que resulta prácticamente inexistente en la literatura extranjera.

---

[19] Véase el comentario de J. M. Rozas, en *op. cit.*, a estos versos, en las págs. 144-146. También es interesante el que hace J. de José Prades, en *El arte nuevo de hacer comedias en este tiempo*, Madrid, CSIC, 1971.

[20] Cfr. M. Menéndez Pidal, *De Cervantes y Lope de Vega*, Madrid, Austral, 6.ª ed., 1964, págs. 154-159.

Por otra parte, hay otros dos aspectos que no se pueden orillar en este problema. Jones[21] piensa que el tema del honor ofrecía muy amplias posibilidades para multiplicar los episodios e incidentes parciales de una comedia, convirtiendo éstas en obras de muchísima acción, tal y como exigía el espectador de la época («porque considerando que la cólera / de un español sentado no se templa / si no le representan en dos horas / hasta el final juicio desde el Génesis», versos 205-208 del *Arte nuevo*), al tiempo que servía para analizar las diversas variaciones y modulaciones de las psicologías y de los caracteres de los personajes. Todas estas causas confluyen en la explicación del fenómeno.

Pero démosle un cambio de enfoque a la exposición. Veamos los aspectos que ofrece el tema desde las perspectivas de la historia social. La honra era la consideración y la estima de que el individuo se hacía acreedor ante su colectividad. El honor pertenecía al patrimonio que uno heredaba de su familia, a través de la sangre, y que tenía su fundamento en la virtud de los antepasados, sobre todo, en la pureza que dimanaba de no haberse mezclado con judíos ni musulmanes.

Pero existían grupos muy próximos a la nobleza, como eran los burgueses y la aristocracia advenediza, que habían amasado sus fortunas con actividades que aprendieron de hombres de otras religiones. Sabido es que lo característico de la casta judía había venido siendo las tareas financieras y los oficios sedentarios[22]. Al casar con cristianos, éstos y sus descendientes habían continuado tales tareas, de modo que llegó un momento en que poseían grandes fortunas que les posibilitaban la adquisición de títulos de nobleza. Ésa es la razón por la que los labradores, dedicados a una actividad ajena a las características de los judíos, alardeaban de su condición de cristianos viejos. A. Castro aduce en este sentido el testimonio revelador del jurista Lorenzo Galíndez de Carva-

---

[21] C. A. Jones, «Spanish honour as historical phenomenon, convention and artistic motiv», en *Hispanic Review*, XXXIII, 1965, págs. 32-39.
[22] Cfr. A. Castro, *De la edad conflictiva*, Madrid, Taurus, 1961, pág. 191.

jal, quien investigó a los miembros del Consejo Real de Carlos V y en el informe que redactó señalaba, como confirmación del carácter de cristiano viejo de dichos miembros, su *linaje de labradores*. En igual sentido, cita el caso de las relaciones de pasajeros a Indias, en cuyas listas aparece la identificación de cristiano viejo con labrador.

En consecuencia, los más honrados eran aquellos nobles de rancios abolengos que jamás se mezclaron con sangre musulmana ni judía, pero también entre ellos existían cristianos nuevos que ocultaban celosamente su procedencia, mientras que entre los labradores fue extraordinariamente difícil que se diera la circunstancia de mezcolanza con otras religiones, ya que era extrañísimo que judíos y musulmanes se dedicaran a la agricultura[23].

Antes de continuar adelante, conviene diferenciar *honra* de *honor*. El honor es virtud objetiva, heredada, mientras que la honra es de carácter subjetivo, se merece, se alcanza con las propias acciones y la otorgan los demás miembros del grupo social, por lo que se encuentra vinculada a la opinión ajena, al concepto en que los demás tienen al individuo. Lope de Vega expresa esta idea en *Los Comendadores de Córdoba*:

> VEINTICUATRO. ¿Sabes qué es honra?
> RODRIGO.   Sé que es una cosa
>   que no la tiene el hombre.
> VEINTICUATRO.   Bien has dicho:
>   Honra es aquello que consiste en otro.
>   Ningún hombre es honrado por sí mismo,
>   que del otro recibe la honra un hombre[24].
>   (...)
> VEINTICUATRO. Ser virtuoso un hombre y tener méritos
>   no es ser honrado, pero dar las causas
>   para que los que trata le den honra[25].

Los conceptos de *honor* y *honra* se corresponden respectivamente con lo que G. Correa ha llamado *honra vertical* (que es la

---

[23] Cfr. A. Domínguez Ortiz, *La clase social de los conversos en la Edad Media*, Madrid, 1955, pág. 145.
[24] *Obras de Lope de Vega*, ed. de la Academia, vol. XI, jorn. III, pág. 290 b.
[25] *Ibíd.*

«inherente a la posición del individuo en la escala social», la que «existe en virtud del nacimiento») y *honra horizontal* (la que «se refiere a las complejas relaciones entre los miembros de la comunidad en el sentido horizontal del grupo. Tal concepto de honra puede ser definido como *fama* o *reputación* y descansaba por entero en la opinión que los demás tuvieran de la persona»)[26].

Ya desde antiguo[27], la honra se equiparaba a la vida, hasta el punto de que se estimaba tanto un bien como el otro, de modo que a la menor merma de la fama seguía la reparación, aunque ésta supusiera la pérdida de la vida. La vida no era apreciada si no era con honra. Este presupuesto tuvo vigor no sólo durante la Edad Media sino que continuó durante el Barroco. Cervantes escribió en el *Quijote*:

> Si yo he de procurar quitarte la honra, claro está que te quito la vida, pues el hombre sin honra peor es que muerto[28].

¿Y por qué era así? Porque la honra era la señal de identidad, de pertenencia a un grupo social concreto. Su pérdida suponía también el extrañamiento del grupo[29].

Las causas por las que se perdía podían ser propias (como un acto de cobardía, el robo, etc.) o ajenas (el adulterio de la esposa, etc.)[30]. El modo de recuperarla estaba perfectamente reglamentado por la tradición. Si la deshonra venía de mano de la seducción de una hija soltera, la solución era casarla

---

[26] G. Correa, «El doble aspecto de la honra en el teatro del siglo XVII», en *Hispanic Review*, XXVI, 1958, págs. 100 y 101.

[27] Esta idea se encuentra ya recogida en las *Partidas*. Cfr. la Partida II, Título XIII, Ley 4.

[28] Ed. de Rodríguez Marín, Madrid, Clásicos Castellanos, 9.ª ed., 1967, pág. 183.

[29] «La hombría en el varón y la virtud en la mujer son, así, constitutivos esenciales en el concepto de la honra. Esta última se identifica con el valor, orgullo y seguridad social de la persona, pero al mismo tiempo encierra elementos que causan desasosiego y ansiedad en los miembros del grupo. La pérdida de la honra implica el aniquilamiento del ser individual en cuanto el hombre se halla desposeído de su valer y de su hombría, pero también el de su ser social en cuanto deja de pertenecer ideal y prácticamente a la comunidad social en que vive. Por tal razón la honra adquiere una validez de orden metafísico», G. Correa, art. cit., págs. 104-105.

[30] Cfr. Menéndez Pidal, *op. cit.*, pág. 146.

con el seductor, o darle la muerte a éste y recluir a la muchacha en un convento; si se trataba de una mujer casada, el marido debería batirse en duelo con el adúltero y matar, asimismo, a cuantos lo ayudaron a consagrar el delito (criados y alcahuetas) y también a la esposa. La ley obligaba a ello:

> Sobre cómo el marido no puede matar a uno de los dos adúlteros y dexar al otro: Si mujer casada faze adulterio, ambos sean en el poder del marido y faga dellos lo que quisiere e de lo que han, así no puede matar él el uno dellos e dexar al otro[31].

De lo contrario, las sanciones recaían sobre el deshonrado. Galo Sánchez[32] recuerda que en el *Fuero de Burgos* se refiere el caso de un marido que fue condenado a muerte por haberse vengado sólo del adúltero. El *Fuero de Cuenca*, por su parte, castigaba con la castración al que incurría en el mismo delito[33].

La reparación de la honra contaba, además, con un corpus de normas que tenían que ser respetadas[34]: la reparación tenía que ser *justa* (esto es, desarrollada por aquellos que tenían honra, los nobles), *diligente* y *universal* (de modo que había que matar al agresor fuese quien fuese, salvo que se tratara del rey, en cuyo caso el interés nacional predominaba sobre el honor particular y el deshonrado no podía vengarse; en *La locura por la honra*, el marido ultrajado no mata al adúltero por ser el príncipe, y dice: «Más vale, aunque caballero / soy de tan alto valor, / que yo viva sin honor / que Francia sin heredero»). Otro rasgo que debe reunir la venganza es la *correspondencia* con el delito, de modo que si éste fue público, también la reparación debe ser pública, mientras que si fue secreto, deberá ser también oculta la venganza *(A secreto agravio, secreta venganza)*.

---

[31] *Leyes del estilo e declaración sobre las Leyes del Fuero*, 1588, Ley XCIII, B. N. M. R. 7673, citado por J. Artiles en «La idea de venganza en el drama español del siglo XVII», en *Segismundo*, 5-6, 1967, pág. 16.

[32] Véase G. Sánchez, «Datos jurídicos acerca de la venganza del honor», en *Revista de Filología Española*, IV, 1917, pág. 294.

[33] Ed. de Allen, XII, 16. Hay una ed. más moderna, realizada por A. Valmaña en Cuenca, 1978.

[34] Cfr. Menéndez Pidal, *op. cit.*, págs. 147-149.

Los duelos en el siglo XVII eran fenómenos frecuentes, aunque estaban perseguidos por el poder civil y religioso. (La Iglesia había prohibido tan cruel práctica ya en el Concilio de Trento y castigaba a los combatientes con la excomunión y la negación del entierro cristiano.) Un hecho nos puede dar una idea exacta de lo habitual del duelo: entre la Navidad de 1657 y junio del siguiente año, ocurrieron más de ciento cincuenta muertes por dicha práctica[35].

En este contexto, nuestra comedia no deja de ser una obra anómala. Lo que era patrimonio exclusivo de los nobles (el honor y su derecho inalienable a la venganza para recuperarlo) pasa también a ser un bien al que tiene acceso un villano rico como es Peribáñez. Después valoraremos oportunamente la novedad introducida por Lope y perfilaremos su significado. El dramaturgo hace posible la venganza al dotar a su personaje de varios atributos:

1.º) Es cristiano viejo:

> Yo soy un hombre,
> aunque de villana casta,
> limpio de sangre, y jamás
> de hebrea o mora manchada (III jorn., vv. 947-950).

2.º) Es armado caballero y nombrado capitán de una compañía:

> Vos me ceñistes espada,
> con que ya entiendo de honor;
> que antes yo pienso, señor,
> que entendiera poco o nada (III jorn., vv. 197-200).

3.º) Es el más rico de los villanos y el de mayor prestigio:

> Es Peribáñez, labrador de Ocaña,
> cristiano viejo, y rico, hombre tenido

---

[35] Véase A. Martín del Olmo, «El duelo en el siglo XVII español», en *Historia y vida*, IX, n. 102, págs. 44-54.

en gran veneración de sus iguales,
y que, si se quisiesse alçar agora
en esta villa, seguirán su nombre
cuantos salen al campo con su arado,
porque es, aunque villano, muy honrado
                              (I jorn., vv. 823-830).

Fui el mejor de mis iguales (III jorn., v. 951).

El hecho de que el rey le perdone que haya matado a su
señor natural indica que se aprueba su conducta; es un recono-
cimiento a su capacidad de venganza. Peribáñez, un villano
rico, tiene honra. Cuando tomó la venganza estaba compor-
tándose como un verdadero aristócrata. Wilson[36] lo ha puesto
de manifiesto claramente al analizar su modo de expresión. Al
principio, su habla es la de un labrador: sencilla, directa y rica
en imágenes tomadas de la naturaleza. Elogia a su mujer com-
parándola con un olivar cargado de frutos, o su aliento con el
perfume del vino añejo. Su expresión amorosa está lejos de la
lírica galante del siglo XVII que emplea voces como *llamas, heri-
das, flechas de oro, soles...*, que es precisamente de la que se sirve
el Comendador para expresarse. Sin embargo, cuando se plan-
tea el problema del honor, pasa a expresarse como un noble,
se transforma, y es que el sentimiento del honor ennoblece al
labrador. (Obsérvese, por ejemplo, el estilo cortesano de su des-
pedida, cuando marcha a Toledo, jornada III, vv. 279-337, o un
poco más adelante, en los vv. 613-614 del mismo acto.)

EL GÉNERO DE LAS «COMEDIAS DE COMENDADORES»

Se conserva una amplia serie de comedias en las que se
enfrentan los villanos a los comendadores para reparar por sí
mismos, o con la ayuda del rey, los desmanes de los caballe-

---

[36] E. M. Wilson, «Images et structure dans *Peribáñez*», en *Bulletin Hispanique*, LI, 1949, págs. 125-159, y reproducido en J. G. Gatti, *El teatro de Lope de
Vega*, Buenos Aires, Eudeba, 2.ª ed., 1967, págs. 50-90. (En adelante citaré por
esta edición.)

ros pertenecientes a las órdenes militares. Entre ellas, recuérdense las atribuidas a Lope como son *Los Comendadores de Córdoba,* compuesta antes de 1600; *Fuenteovejuna, Peribáñez* y *El infanzón de Illescas,* todas ellas pertenecientes a una misma época que apenas sobrepasa la primera década del siglo XVII; *Los novios de Hornachuelos* que ya estaba escrita en 1627 y que no sabemos si será obra del Fénix o de Vélez de Guevara, y *El mejor alcalde, el rey,* impresa en 1635. También de Vélez es *La luna de la sierra* y de Tirso de Molina, las tituladas *La dama del olivar* y *La santa Juana,* ambas contemporáneas de *Fuenteovejuna* y *Peribáñez.*

En todas ellas se dramatiza un conflicto entre un comendador y un vasallo. El primero aparece como hombre de conducta irregular que no encarna el modelo que sería de esperar y que muere a manos del segundo, al defender éste su dignidad, aunque haya de ser el propio rey quien sancione finalmente los hechos.

Para comprender las motivaciones y significación de este género hay que tomar en consideración varios hechos, estrictamente literarios unos, y sociales y económicos otros.

1.°) En primer lugar, recuérdense aquellos versos del *Arte nuevo* tantas veces citados:

> Los casos de honra son mejores
> porque mueven con fuerza a toda gente.

Si, como ya dijimos más arriba, al público le gustaban con fruición las historias de honra, los sucesos más llamativos, los *casos,* ¿cuáles mejores se podrían ofrecer que aquellos en los que el tercero del triángulo amoroso es un noble que se interpone entre los amores de un labrador y una labradora? La presencia de un seductor cualificado socialmente venía a hacer más interesante un conflicto de honra: nada más y nada menos que un villano reparando su honor frente a su señor natural.

2.°) En segundo lugar, existe un factor social cual es el descrédito general que las órdenes militares atraviesan a principios del siglo XVII, como ha señalado N. Salomon[37]. Si hasta entonces se pensaba que los comendadores eran dechados de virtud en los que la correspondencia entre nobleza de sangre y nobleza de carácter estaba fuera de toda duda, allá por 1610 esta creencia hace crisis. Se empieza a pensar que los títulos de las órdenes no son más que gratificaciones que prestigian socialmente, y que son alcanzables con relativa facilidad si se cuenta con cuantiosos recursos económicos. Hasta tal punto se difundió esta idea que circuló un dicho suficientemente expresivo por sí solo: «La cruz en los pechos, y el diablo en los hechos». A esta idea de la opinión pública corresponden los dramas de comendadores que vienen a corroborar la exactitud de tal creencia.

3.º) Hay, finalmente, un hecho económico y jurídico que pudo también motivar la creación de obras de este género, y es que entre 1612 y 1614, las fechas de creación de algunas de ellas, los dramaturgos pretendieron hacer partícipes a los espectadores de los grandes problemas de la vida política[38], al menos con algunas de las comedias. Simpatizaban con la propuesta de ciertos economistas que predicaban la descongestión de la corte y la promoción de la vida aldeana. Si para ello se tropezaba con la dificultad del absentismo de los nobles o de la corrupción de los poderosos, aconsejaban incluso la reconstrucción de los cuadros rurales a base de cristianos viejos extraídos de entre los propios villanos. Se pedía, en último término, que se aboliera la jurisdicción señorial y que en todas partes fueran los magistrados quienes se hicieran cargo de la administración de la justicia. Se intentaba que los pueblos y aldeas consiguieran una «jurisdicción de por sí» y no la señorial o la dependiente de grandes urbes[39].

Los dramaturgos se hacían eco de estas ideas por medio de las obras de comendadores. Esta interpretación cobra mayores visos de verosimilitud al tener también en cuenta otros dra-

---

[37] Cfr. Salomon, *op. cit.*, págs. 862-863.
[38] Cfr. Ch. V. Aubrun, *La comedia española...*, cit., págs. 75 y 76.
[39] Cfr. Salomon, *op. cit.*, págs. 97 y 98.

mas, aquellos de villanos en los que se aboga por su promoción, como son *El alcalde de Zalamea* de Calderón, *El valiente justiciero y ricohombre de Alcalá* de Moreto, entre otros.

En este contexto tendremos que situar el drama de *Peribáñez* para hacernos una idea exacta de su significado. A ese conjunto de motivaciones obedece, en último término, su composición. Nuestra comedia no es ajena a ninguna de ellas, pero centremos nuestra atención en las dos últimas.

En primer lugar, las relaciones entre Peribáñez y el Comendador son las del vasallo y su señor natural; aquél debe pagar sus impuestos a cambio de la protección del segundo. Sin embargo, como el profesor Maravall ha hecho ver[40], las relaciones han variado; el *auxilium* que debe prestar el señor es precisamente respecto al honor: debe dar honra al labrador. Y es justamente éste el aspecto en que don Fadrique infringe sus obligaciones, ya que si bien honra a su vasallo —le regala unos reposteros y unas mulas, le nombra capitán y le ordena caballero, todo ello movido por intereses inconfesables—, le deshonra al intentar seducir a su mujer[41].

> Basta que el Comendador
> a mi mujer solicita;
> basta que el honor me quita,
> debiéndome dar honor.
> Soy vassallo, es mi señor,
> vivo en su amparo y defensa;
> si en quitarme el honor piensa
> quitárele yo la vida:
> que la ofensa acometida
> ya tiene fuerça de ofensa
> (II jorn., vv. 697-706).

---

[40] Véase su *Teatro y Literatura...*, cit., pág. 89.
[41] G. Correa en «El doble aspecto de la honra en *Peribáñez y el Comendador de Ocaña*», en *Hispanic Review*, XXVI, 1958, págs. 188-199, señala cómo a una creciente ascensión en la honra vertical —la inherente a la posición que el individuo ocupa en la escala social— corresponde una pérdida notable e incluso total de su honra en sentido horizontal —esto es, la fama que descansa en la opinión que los demás tenían de él—.

Lope selecciona ese pecado del Comendador porque ilustra mejor que otros la conducta contraria al sistema, su moralidad antisocial. Estamos ante un comendador que, en lugar de velar por sus vasallos y honrarlos, va contra ellos, aunque lo haga con todos los eximentes de que Lope lo dota —la enajenación por la pasión amorosa, el arrepentimiento final.

Respecto al eco que este planteamiento del problema encontrara en los espectadores barrocos, nada sabemos con certeza, pero parece verosímil imaginar que la fuerte crítica implícita en el drama contra las órdenes militares no rebasaba lo puramente anecdótico u ocasional. En ningún momento se censura abiertamente las órdenes, sino que la pieza simplemente denuncia un caso particular, una conducta que va contra el sistema y que exige su extracción del cuerpo social para que todo siga funcionando correctamente. En este sentido, la obra no atenta contra el sistema, sino que puede funcionar perfectamente a su servicio como propaganda del mismo, ya que el rey, al final, aprueba la conducta del labrador.

Pero si dirigimos nuestra atención hacia otros aspectos de la tragicomedia, su intencionalidad aparece más patente. El protagonista del drama, Peribáñez, está adornado de todas las virtudes modélicas que aquella sociedad exigía: fidelidad, religiosidad, valor, lealtad, y lo que era entonces más importante, su condición de cristiano viejo. Esos rasgos posibilitaban que el espectador se identificara con el personaje y sacralizara sus acciones.

Por otra parte, toda la comunidad labradora está trazada con esos mismos rasgos. «Las canciones de bodas y de siega, la buena y ruda sencillez de las reuniones de municipio o de taller, la castidad —tradicional— de las campesinas, hacen que se inclinen las simpatías del auditorio hacia los honrados campesinos»[42].

Si, además, se tienen en cuenta los ataques dirigidos a la nobleza, el sentido del drama va adquiriendo líneas cada vez más precisas. Recuérdese que cuando salen de Ocaña las dos

---

[42] Aubrun, *La comedia española...*, cit., pág. 123.

compañías que van a participar en la guerra contra los moros, una surtida de labradores y otra de hidalgos, los elogios a la primera van aunados a las censuras a la segunda.

INÉS.	¿Qué es esto?
COSTANÇA.	La compañía
	de los hidalgos cansados[43].
INÉS.	Más luzidos han salido
	nuestros fuertes labradores.
COSTANÇA.	Si son las galas mejores
	los ánimos no lo han sido.
PERIBÁÑEZ.	¡Hola! Todo hombre esté en vela
	y muestre gallardos bríos.
BELARDO.	¡Que piensen estos judíos
	que nos mean la paxuela!
	Deles un gentil barçón
	muesa gente por delante
	(III jorn., vv. 367-378).

Los conceptos vertidos en esta secuencia son graves. De una parte, existe una sobrestimación de los labradores (acuden a la guerra con entusiasmo), mientras que a los hidalgos se les censura su falta de energía, su excesivo lujo y, sobre todo, su carácter de cristianos nuevos. Y es que los labradores pertenecían a rancias familias cristianas que jamás se habían contaminado de sangre judía. (Recuérdese a este efecto lo que se dijo en la pág. 23.) «Los pecheros, los no hidalgos, ofrecían menos reparos que las personas de calidad, puesto que cuanto más inferior era el rango social, menos posibilidad había de judaísmo»[44].

Evidentemente, estamos ante un conflicto entre castas[45]: los cristianos viejos ven con malos ojos a los cristianos nuevos que, por si fuera poco, ocupan los puestos de mayor relieve de la sociedad. Para el espectador quedaba claro que los villanos

---

[43] Véase nuestra anotación al verso, en la pág. 165. Son muy interesantes las precisiones que J. H. Silverman hace en «Los "hidalgos cansados" de Lope de Vega», en *Homenaje a W. L. Fichter*, Madrid, Castalia, 1971, págs. 693-711.

[44] A. Castro, *op. cit.*, pág. 199.

[45] Véase N. Salomon, *op. cit.*, el cap. IV de la Parte IV, dedicado a los conflictos entre nobles y campesinos.

que aparecían en escena eran portadores de unos valores inne-
gables, como son los derivados de su nobleza de carácter, lo
cual los hacía indicados para ocupar puestos de responsabilidad, mientras que aquellos nobles de los que se esperaba toda
una amplia gama de virtudes que deberían derivarse de su
nobleza de sangre, dejaban mucho que desear. Si del texto no
se desprendía una crítica a la nobleza, al menos sí se ponía en
entredicho la validez, por sí sola, de la nobleza de sangre. Era
necesario que ésta fuera acompañada de la nobleza de carácter. Aquí hay que tratar, pues, otra cuestión. Y es que en el siglo XVII se va abriendo paso la idea de que es necesario este
otro tipo de nobleza y de honor. Una cierta fobia al carácter
aristocrático basado solamente en la sangre, o en el nacimiento, ha sido rastreada por M. Herrero[46] en la literatura religioso-
ascética, filosófica y dramática. En cambio, se va abriendo
paso la apología de la nobleza ganada o adquirida por el propio esfuerzo. Recordemos un par de casos del propio Lope:

> Un príncipe, ¿qué piensa, cuando pase
> sangre de Adán mil veces olvidada
> a la que algún barbero le sacase?
> Porque el ser más o menos colorada,
> es parte de salud, no es parte noble;
> que la propia es virtud, no la heredada
> *(La Filomena,* Epístola II,
> Rivad. XXXVIII, pág. 415 b).

D. PEDRO. Yo nací en Madrid.
GIRÓN.   Verdad.
D. PEDRO. De mediana calidad.
GIRÓN.   Sangre tiene cualquier vena
     y todas son coloradas
     (Servir a señor discreto, vv. 66-69).

El honor que viene a través del linaje no es despreciable,
pero tiene que complementarse con el decoro emanado de
las propias acciones virtuosas.

---

[46] M. Herrero, art. cit., en n. 12.

Con todo ello, la consecuencia es que los labradores salen ennoblecidos y parecen aptos para gobernar sus propios asuntos.

Peribáñez, en este sentido, se alinea entre aquellas comedias que pretendían hacer comprender a los espectadores la problemática sociopolítica de la época, haciéndose eco de las teorías de preclaros juristas que aconsejaban la abolición de la jurisdicción señorial y la extensión de la autoridad real más directa. «Se preconizaba el conceder la autoridad de alcalde y el poder judicial a los campesinos ricos»[47].

Que con estas obras se intentaba la captación de los villanos ricos especialmente parece estar fuera de toda duda. El villano venía a ser una de las piezas clave de la ordenación social y política de la situación española de entonces, puesto que era el que soportaba principalmente los fuertes impuestos exigidos por una nación de desorbitados presupuestos en el gasto público[48]. Interesaba atraerlo al sistema, y uno de los medios de que se disponía era lograr su identificación con aquél. Para ello, el teatro difundía una imagen gratificante e idealizada de lo que era el villano, incorporándolo a las distinciones y privilegios de la aristocracia. Así, valores como el amor y el honor, aparte de toda una amplia gama de exquisiteces y cualidades espirituales, son compartidas por ricos labradores y rancios nobles. El villano participa de la riqueza y de otros privilegios de los aristócratas. El rico labrador se venía a equiparar, de algún modo, con el noble por cuanto tenía acceso a sus mismos privilegios.

Pero no se olvide que se trataba del villano rico y que, por tanto, no estamos ante una concepción democrática de lo social, impensable, por otra parte, allá por 1600[48bis].

Por todo ello, los dramas de villanos, especialmente aquellos en los que un labrador se enfrentaba a un comendador,

---

[47] Aubrun, *op. cit.,* pág. 76. Véase también lo que escribe en la nota 2 de la pág. 72.

[48] Cfr. Maravall, *Teatro y Literatura...,* pág. 73.

[48bis] Miguel Allué no lo tiene en cuenta cuando en su ed. de la comedia escribe: «Todo lo cual hace de *Peribáñez* una obra profundamente democrática», Zaragoza, Tipografía de la Academia, 1936, pág. 7.

venían a ser una apología del sistema tradicional, de un régimen señorial monárquico, como defienden los citados historiadores y críticos, sistema en el que se introducen ligeras modificaciones. «Nous pouvons dire que une "comedia" d'ambiance rustique, en répétant sous différents angles l'image idéale du paysan heureux et édifiant, contribuait à consolider une société de classes (monarcho-seigneuriale), fondée sur la production rurale et dominée par les propiétaires terriens»[49].

Pero en *Peribáñez* hay mucho más. Por encima de todo es una lograda obra de arte, una de las creaciones más felices de Lope, porque ha sabido plasmar con fortuna la vida intrahistórica de una villa —la celebración de unas bodas aldeanas, las reuniones de una cofradía, la procesión de la patrona de Toledo, las labores del campo—, la selección como motivo fundamental del drama de un hombre feliz y enamorado de su mujer, enfrentado a un poderoso rival, las relaciones sentimentales de un matrimonio —los deliciosos requiebros amorosos, los abecedarios—, la extraordinaria incorporación de la lírica tradicional y del folklore —el trébole, el romance de Peribáñez, las letras que cantan los músicos, el poema que empieza «Labrador de lejas tierras»—, el tratamiento poético de la materia dramática —la riqueza de símbolos que han estudiado Wilson y Dixon[50]—... Lope ha apostado por esa selección de lo particular, de lo cotidiano. Además ha roto con el esquema típico de las dos acciones y con las *dramatis personae* fijas para escribir una comedia mucho más original y que, todavía hoy, mantiene el interés de obra eterna.

INVENCIÓN Y FUENTES DE «PERIBÁÑEZ»

Los dramaturgos barrocos acudían a toda suerte de escritos en busca de asuntos para sus obras. Los más frecuentados eran las *Crónicas* y el *Romancero*. *Peribáñez*, no obstante, al igual que otras comedias, no fue extraído de estas fuentes.

---

[49] Salomon, *op. cit.*, pág. 422.
[50] Wilson, art. cit., en n. 36 y Victor Dixon, «The Simbolism of *Peribáñez*», en *Bulletin of Hispanic Studies*, XLIII, 1966, págs. 11-24.

Lope de Vega vivió en Ocaña a principios del siglo XVII, y es probable que, durante su estancia en la ciudad, tuviera conocimiento de un romance tradicional que contaba la historia de una villana que prefirió el amor de un labrador al de un comendador. De la leyenda, que era de carácter local, tan sólo pervivió en el recuerdo de las gentes unos cuantos versos, en los que se esbozaba el asunto fundamental:

> Más quiero yo a Peribáñez
> con su capa la pardilla,
> que no a vos, Comendador,
> con la vuestra guarnecida.

Estos versos se encuentran recogidos en tres lugares distintos. En primer lugar, en *San Isidro Labrador de Madrid*[51], una comedia de Lope fechada entre 1604 y 1606, precisamente por los años en que residía en Toledo; en segundo lugar, en *Peribáñez*[52], y, finalmente, existe una versión a lo divino, de la que es autora Sor Luisa Magdalena de Jesús, que dice así:

> Más quiero yo a Jesucrito
> con tormentos y fatigas,
> que no a vos, Mundo engañoso,
> con vuestras pompas altivas[53].

Esta última, al ser posterior a los primeros, puede estar basada en la canción tal y como la recoge Lope en sus textos dramáticos.

Lo que interesa señalar de todo esto, con respecto a la génesis literaria de la comedia, es que el Fénix aprendió los versos tradicionales y quedó subyugado por tan breve canción en la que quedaban resumidas la intensidad de un sentimiento amoroso, la grandeza de una fidelidad y, sobre todo, la preferencia por el humilde sobre el poderoso[54]. Ya en el

---

[51] Ed. de la Academia, IV, pág. 570 a.
[52] Acto II, vv. 545-548 y 876-879.
[53] M. Serrano y Sanz, *Antología de poetisas líricas*, II, Madrid, 1915, pág. 35.
[54] Véanse M. Menéndez y Pelayo, *Estudios sobre el teatro de Lope de Vega*, Madrid, CSIC, V, 1949, págs. 37 y 38; y el estudio de M. Wilson, *Spain Drama of the Golden Age*, Oxford, Pergamon Press, 1969, págs. 72-74.

análisis de la fuente encontramos una oposición entre clases sociales.

Con estos versos como punto de partida, Lope crea una de sus obras más felices, en la que respeta las ideas y sentimientos básicos de la canción, inventando, por su parte, los personajes y los sucesos de que consta el drama. Lope, de acuerdo con el romance, parte de un triángulo amoroso, crea las situaciones y los incidentes, y traza tal vez las páginas más bellas para evocar un ambiente campesino.

La génesis de la obra, pues, fue ésa: del conocimiento de una canción popular, el autor pasó a escribir una historia que justificara aquellos versos. El mismo sistema sirvió en otras ocasiones para escribir, a partir de canciones breves, largas comedias como *El caballero de Olmedo* y *Pedro Carbonero*.

Una vez que el escritor disponía de la historia, había que situarla en el tiempo y Lope decide que ocurra durante el reinado de Enrique III el Justiciero (1390-1406), allá en el siglo xv, que era el marco habitual de las «comedias de comendadores». Para adornar de algunos datos históricos su pieza, acudió a la *Crónica de Juan II.* Ya se verá al principio del Acto III cómo Lope siguió de cerca el texto histórico, limitándose a poner en verso lo que narraba en prosa la *Crónica.* Pero sólo esa secuencia tiene origen en una fuente escrita[55]. Por eso no cabe hablar de fuentes de la obra, sino más bien de pretextos para escribirla[56].

LA FECHA DE COMPOSICIÓN

Hay ocasiones en las que fijar con rigor la fecha de composición de una comedia es sumamente importante: tal es el caso de *Peribáñez*, si es que queremos saber la trayectoria ideo-

---

[55] C. Bruerton ha estudiado los contactos de *Peribáñez* con una novela de Matteo Bandello. Véase su trabajo, titulado *«La quinta de Florencia, fuente de Peribáñez»*, en la *Nueva Revista de Filología Hispánica*, IV, 1950, págs. 25-39.

[56] Ésta es la conclusión de Aubrun y Montesinos en su ed. de la comedia. Véase Gatti, *op. cit.*, pag. 15.

lógica de Lope y las verdaderas dimensiones del fenómeno literario conocido con el término de «comedia de comendadores» al que pienso dedicar un estudio en el futuro.

Para ello contamos con tres criterios que pueden colaborar en su fijación; sin embargo, recomendamos precaución porque ninguno es definitivo. Existen, por una parte, los caracteres métricos de la comedia; por otra, la presencia de un personaje llamado Luján, y, finalmente, los parlamentos puestos en boca de Belardo, trasunto del propio Lope de Vega. Vayamos por partes.

1.°) El análisis realizado por S. G. Morley y C. Bruerton[57] sobre la métrica invita a pensar que la comedia fue escrita entre los años de 1609 y 1612, probablemente hacia 1610, pero no es argumento decisivo por sí solo.

2.°) El hecho de que aparezca un criado llamado Luján ha sido estudiado por C. Bruerton[58] y por N. Salomon[59] con distintos resultados.

Como ya vimos más arriba[60], Lope de Vega mantuvo relaciones hasta 1608 con una mujer casada, llamada Micaela Luján. Hasta entonces había gustado de sacar a escena a personajes de una moralidad intachable con el nombre de Luján, tal vez como homenaje a la mujer amada. De las cuatro obras en que tal hecho sucede y que sabemos que se escribieron poco antes de 1608, Bruerton deduce que *Peribáñez* debe de estar compuesto también por esas fechas puesto que incluye entre sus *dramatis personae* a un criado con tal nombre.

N. Salomon, sin embargo, se opone a tal datación. El ilustre historiador francés observa que Luján, en las cuatro primeras comedias, era un personaje virtuoso, mientras que el

---

[57] *La cronología de las comedias de Lope de Vega*, Madrid, Gredos, 1968, pág. 596.

[58] «More on the date of *Peribáñez*», en *Hispanic Review*, XVII, 1949, págs. 35-46. Propone que la composición fue entre 1605 y 1608.

[59] En «Simple remarque à propos du problème de la date de *Peribáñez y el Comendador de Ocaña*», en *Bulletin Hispanique*, LXIII, 1961, págs. 251-258, se inclina por la fecha de 1608-1611.

[60] Cfr. más arriba, pág. 14.

que interviene en *Peribáñez* es un vil alcahuete. Según esto, evidentemente no estaríamos ante un homenaje a Micaela; Salomon, en consecuencia, piensa que la tragicomedia tuvo que escribirse con posterioridad a la ruptura, concretamente entre 1608 y 1611.

3.º) Más luz puede arrojar el parlamento de Belardo que, como es sabido[61], representa al mismo Lope en varios romances y comedias. Recordemos sus palabras:

> BELARDO. Veislas allí en el balcón,
> que me remozo de vellas;
> mas ya no soy para ellas,
> ni ellas para mí no son.
> PERIBÁÑEZ. ¿Tan viejo estáis ya, Belardo?
> BELARDO. El gusto se acabó ya.
> PERIBÁÑEZ. Algo dél os quedará
> bajo del capote pardo.
> BELARDO. ¡Pardiez, señor capitán,
> tiempo hue que al sol y al aire
> solía hazerme donaire,
> ya pastor, ya sacristán!
> Cayó un año mucha nieve,
> y como lo rucio vi,
> a la iglesia me acogí.
> PERIBÁÑEZ. ¿Tendréis tres diezes y un nueve?
> BELARDO. Éssos y otros tres dezía
> un aya que me criaba;
> mas pienso que se olvidaba.
> ¡Poca memoria tenía!
> Cuando la Cava nació
> me salió la primer muela
> (Acto III, vv. 245-266).

De las palabras de Belardo se desprenden los siguientes datos, de no ser cierta la suposición de Carolina Poncet[62] que

---

[61] Véase S. Griswold Morley, «The Pseudonyms and Literary Disguises of Lope de Vega», en *University of California Publications in Modern Philology*, XXXIII, 1951, págs. 421-484.

[62] Véase su art. «Consideraciones sobre el episodio de Belardo en la tragicomedia *Peribáñez*», en la *Revista Cubana*, XIV, 1940, págs. 78-90.

propugna que este episodio es una interpolación tardía, incorporada al texto cuando se decidió su impresión:

a) Lope tenía cuarenta y dos años cuando escribió la tragicomedia, lo cual nos conduce al año 1603 o 1604, siempre que no se trate, como sugieren J. F. Montesinos y Ch. V. Aubrun[63], «de una coquetería acerca de su edad como tantas otras que se permitió en su vida».

b) «A la iglesia me acogí.» ¿Qué significan exactamente estos versos? En un principio, parecería lo más acertado que se refirieran a la circunstancia de que Lope se ordenó sacerdote en 1614, lo cual está reñido con el hecho de que la aprobación de la Parte IV de sus *Comedias,* en la que se incluye *Peribáñez,* sea de diciembre de 1613. No obstante, el Fénix podría haber tomado ya para entonces la decisión de acogerse al sacerdocio, puesto que su segunda mujer, Juana de Guardo, había muerto en agosto de 1613. Ésta es la tesis defendida por Menéndez Pelayo[64], Morley[65] y Aubrun-Montesinos[66].

Por otra parte, es posible que Lope se refiriera a su ingreso en la Congregación de Esclavos del Santísimo Sacramento, ocurrido en 1610, de modo que la comedia estaría compuesta por aquel entonces[67]. Sin embargo, S. G. Morley se oponía a tal suposición porque la Congregación era una asociación

---

[63] Véase su ed. cit. (En Gatti, pág. 13.)

[64] *Estudios sobre el teatro de Lope de Vega,* cit., pág. 35: «La fecha de esta comedia puede fijarse con aproximación entre 1609 y 1614».

[65] «La fecha de *Peribáñez*», en *Revista de Filología Española,* XIX, 1932, págs. 156-157.

[66] Ed. cit., París, Hachette, 1943.

[67] Véanse sobre todo los argumentos esgrimidos por Ch. P. Wagner en «The date of *Peribáñez*», en *Hispanic Review,* XV, 1947, págs. 72-83. Participan de igual opinión O. H. Green, en «The date of *Peribáñez y el Comendador de Ocaña*», en *Modern Language Notes,* XLVI, 1931, págs. 163-166; y Rennert y Castro en su citada *Vida...*, pág. 207, n. 16. («Si Lope tenía realmente cuarenta y dos años, la obra habría sido escrita en 1604; pero en esta época no tenía aquél ninguna relación con la Iglesia. Como hemos visto, entró en la Congregación de la calle del Olivar en 1610. Es más probable, en vista de esto, que escribiera la comedia entre 1610 y 1614.»)

de carácter más bien social que religioso[68], por lo que necesariamente habría que pensar en la fecha de su ordenación.

La última cuestión, la referencia a los moros que se hace en los versos 361-364 del mismo acto, también ha sido estudiada por la crítica.

> INÉS.   Traedme un moro, Belardo.
> BELARDO. Días ha que ando tras ellos.
>   Mas, si no viniere en prosa,
>   desde aquí le ofrezco en verso.

El significado de esos versos sería que en caso de no traerle un moro de carne y hueso, apresado en la guerra a la que parte la compañía a que pertenece Belardo («si no viniere en prosa»), se lo ofrecería ficticio, literario («le ofrezco en verso»). Ello aludiría a los personajes de su obra épica titulada *La Jerusalén conquistada,* escrita en 1605 y publicada en 1609. Esto nos llevaría a pensar en una[69] u otra fecha[70] para la composición de *Peribáñez*[71]. Pero, por otra parte, la referencia po-

---

[68] Morley, art. cit. en n. 65.

[69] J. Hill y M. Harlan se inclinan por agosto de 1604 en su ed. de *Cuatro Comedias,* Nueva York, 1941. También Wagner, en su art. cit. en n. 67, es partidario de 1604 como año en que se compuso *Peribáñez*. Se basa fundamentalmente en que el original de la Parte IV había estado en manos del editor Gaspar de Porres bastante tiempo, quien precisamente residía en Toledo, en donde representó algunas comedias allá por 1605, justamente cuando Lope vivía en la ciudad del Tajo.

[70] Así, por ejemplo, Green en su art. cit. en n. 67. Por otra parte, sobre la referencia a la condición de eclesiástico de Belardo piensa que debe de ser su ingreso en la Congregación de Esclavos del Santísimo Sacramento.

[71] Sobre la datación de la comedia pueden consultarse, además de los trabajos citados, los siguientes: A. González de Amenzúa, *Lope de Vega en sus cartas,* Madrid, 1940, II, págs. 257-258 (se da la fecha de 1613); R. del Arco, *La sociedad española en las obras dramáticas de Lope de Vega,* Madrid, 1942, páginas 209-211 (también da la fecha de 1613); M. Bataillon, «La nouvelle chronologie de la "comedia" lopesque: de la métrique a l'histoire», en *Bulletin Hispanique,* XLVIII, 1946, pág. 236 (es partidario de 1613); I. Loveluck, «La fecha de *Peribáñez y el Comendador de Ocaña*», en *Atenea,* CX, 1953, págs. 419-424; S. G. Morley, «La fecha de *Peribáñez*», en *Revista de Filología Española,* XIX, 1932, págs. 156-157. Salomon ha vuelto sobre el tema en «Toujours la date de *Peribáñez y el Comendador de Ocaña*», en *Mélanges offerts à Marcel Bataillon,* Bordeaux, 1962.

dría ser a los muchos romances de tipo morisco que Lope insertó en el *Romancero General* de 1604[72].

Parece imposible fijar con rigor el año exacto en que se compuso nuestra comedia. Los datos se contradicen y sólo ofrecen dos límites cronológicos: 1604 y 1613. Entre esas dos fechas debió de escribirse la obra, pero, por el momento, creemos imposible fijarla con precisión. No obstante, queremos hacer una observación y es que parece difícil que *Peribáñez* fuera escrita inmediatamente antes de ser editada, pues en ese caso resultarían injustificadas las palabras que, en el Prólogo, se dirigen *A los lectores* de la Parte IV:

> Los agravios que muchas personas hacen cada día al autor de este libro, imprimiendo sus comedias tan bárbaras como las han hallado después de muchos años que salieron de sus manos, donde apenas hay cosa concertada, y los que padece de otros que por sus particulares intereses imprimen o representan las que no son suyas con su nombre, me han obligado por el amor y amistad que ha muchos años que le tengo, a dar a luz a estas doce que yo tuve originales.

Por ello nos inclinamos por una fecha temprana para la composición de la comedia.

LA MÉTRICA DE NUESTRA COMEDIA

Ofrecemos, finalmente, un análisis de las formas métricas empleadas por Lope de Vega en esta comedia. Las consecuencias que se desprenden de aquél es que predominan los versos octosílabos, ordenados en romances y redondillas, mientras que los endecasílabos —característicos de los inicios de la carrera del Fénix— son escasos.

---

[72] Véase el art. cit. de Wagner.

ACTO I

Vv.	1-125	quintillas[73]	125 versos
Vv.	126-165	romancillo	40 versos
Vv.	166-225	redondillas	60 versos
Vv.	226-271	romance	46 versos
Vv.	272-511	redondillas	240 versos
Vv.	512-521	quintillas	10 versos
Vv.	522-557	liras	36 versos
Vv.	558-602	quintillas	45 versos
Vv.	603-616	soneto	14 versos
Vv.	617-661	quintillas	45 versos
Vv.	662-785	redondillas	124 versos
Vv.	786-907	endecasílabos libres	122 versos
Vv.	908-943	redondillas	36 versos
Vv.	944-1049	romance	106 versos
			Total: 1.049 versos

ACTO II

Vv.	1-150	quintillas	150 versos
Vv.	151-410	redondillas	260 versos
Vv.	411-428	canción	18 versos
Vv.	429-504	redondillas	76 versos
Vv.	505-602	romance	98 versos
Vv.	603-686	redondillas	84 versos
Vv.	687-746	décimas	60 versos
Vv.	747-793	endecasílabos libres	47 versos
Vv.	794-807	soneto	14 versos
Vv.	808-867	quintillas	60 versos
Vv.	868-879	romance	12 versos
Vv.	880-894	quintillas	15 versos
Vv.	895-906	redondillas	12 versos
Vv.	907-1036	romance	130 versos
			Total: 1.036 versos

---

[73] Empleo la terminología moderna —quintillas— para designar las llamadas redondillas de cinco versos en el Barroco.

43

ACTO III

Vv.	1-8	redondillas	8 versos
Vv.	9-128	romance	120 versos
Vv.	129-276	redondillas	148 versos
Vv.	277-364	romance	88 versos
Vv.	365-632	redondillas	268 versos
Vv.	633-642	canción	10 versos
Vv.	643-822	redondillas	180 versos
Vv.	823-894	octavas	72 versos
Vv.	895-926	redondillas	32 versos
Vv.	927-1046	romance	120 versos
			Total: 1.046 versos

Esta edición

Peribáñez y el Comendador de Ocaña se publicó por primera vez en 1614 en tres ediciones distintas, una en Madrid, otra en Barcelona y, una tercera, en Pamplona. (En lo sucesivo las denominaremos M, B y P, respectivamente.) Además, sabemos de la existencia de una versión manuscrita, el llamado manuscrito Ilchester que poseyó Lord Holland, el cual contiene ciertas anotaciones marginales que se creen originales de Lope de Vega, pero al que, lamentablemente, no hemos tenido acceso por desconocer su paradero.

Peribáñez se publicó formando grupo con otras obras en la Parte IV de las comedias de Lope[74].

El texto M[75] lleva *Tasa* de 14 de marzo de 1614, *Conformidad con el original* de 11 de marzo de 1614, *Aprobación* de Tomás Gracián Dantisco, fechada el 11 de enero de 1614 y *Aprobación* de Fr. Juan Bautista de 20 de diciembre de 1613; la *Suma del privilegio* es de 5 de febrero de 1614. Esta versión me parece la más próxima al original lopesco por varias razones. En primer lugar, porque se publicó en la misma ciudad en que vivía el Fénix y a cargo de un amigo personal del autor.

---

[74] Las comedias que constituyen la Parte IV son las tituladas *Laura perseguida, Nuevo Mundo descubierto por Cristóbal Colón, El asalto de Mastrique por el Príncipe de Parma, Peribáñez y el Comendador de Ocaña, El genovés liberal, Los torneos de Aragón, La Boda entre dos maridos, El amigo por fuerza, El galán Castrucho, Los Embustes de Zelauro, La Fee rompida* y *El Tirano castigado.*

[75] De la edición de Madrid se conservan ejemplares en Londres, British Museum (1.0472 k. 14); Milán, Ambrosina; Roma, Vaticana; Madrid, Biblioteca Nacional (R-13855, R-14097 y R-24987).

Es de esperar, en consecuencia, que éste tuviera acceso a una copia fidedigna del drama. Además, hay que tomar en consideración que el texto, según se dice en la nota *A los lectores* más arriba transcrita, se imprime para evitar corrupciones del mismo tan habituales en la época, según iba pasando el tiempo y distanciándose el momento de la creación del de la impresión. En segundo lugar, la edición contiene muy pocas erratas y los fallos son mínimos. Más todavía: cuando en M existe un error, volvemos a encontrarlo en P y en B (sobre todo en este último). Si a todo esto añadimos que es la primera aparecida en el tiempo, podemos concluir con elevadas posibilidades de acertar que, de las tres versiones, M debe de ser la más fiel al texto original.

La edición de Barcelona[76] creo que sigue el texto madrileño, o bien es que los dos han utilizado un mismo original, puesto que cuando existe un error en éste, el mismo vuelve a aparecer en aquélla. (Por ejemplo, en ambos encontramos en el Acto I, v. 999, *barbirubio* por *barbirrubio;* en el Acto II, v. 5, PE. por BE[NITO]; en el Acto II, v. 359, ambos omiten *Inés.)*

La edición de Pamplona[77], obra del impresor Nicolás de Assiain, con *Licencia* de 16 de diciembre de 1614, es una versión muy aceptable y apenas si contiene erratas. Reproduce exactamente el mismo texto de M y B, coincidiendo en algunos errores con ellos.

En nuestra edición reproducimos básicamente el texto M, corrigiendo sus errores, tal y como se hace en las ediciones modernas desde la de Hartzenbusch, aunque no siempre hayamos aceptado las lecturas que ofrecían estos editores. En todos los casos, justificamos a pie de página las distintas opciones y ofrecemos al lector las variantes de las tres versiones de 1614, así como las lecturas realizadas por Hartzenbusch, Bonilla y San Martín, Montesinos-Aubrun, Henríquez Ureña

---

[76] De la edición de Barcelona se conservan ejemplares en Londres, British Museum (1.072. L. 5 y 11.726. k. 7) y en Madrid, Biblioteca Nacional (U-10567 y R-23467).

[77] Se conservan ejemplares de la edición de Pamplona en Roma, Casanatense y Madrid, Biblioteca de la Real Academia de la Lengua (41-VI-53).

y Zamora Vicente que son las principales transcripciones modernas.

Respecto a las notas que acompañan al texto, hay que señalar que van dirigidas fundamentalmente al lector no familiarizado con la lengua y cultura barrocas. Intentan ayudarlo a realizar una lectura lo más rica posible. Pero hay otras anotaciones —ingenuas, si se quiere, en muchos casos— que pretenden dejar constancia de las variantes que aparecen en las distintas versiones de 1614, aunque sean erratas claras, o en las ediciones modernas.

Finalmente, con relación a la grafía y puntuación, téngase en cuenta que he modernizado, en gran parte, su empleo (así, he regularizado el uso de *b, v, u; c, q, ch; s, x,* según las normas modernas; lo mismo he hecho con los signos de puntuación), salvo en los siguientes casos: respeto el uso de *g, j, x,* las modificaciones del timbre vocálico, las contracciones *(dél, destos),* las vacilaciones *(ansí, assí),* el uso de *s/ss,* el empleo de *z, c, ç,* y el tratamiento de los grupos consonánticos cultos.

Bibliografía

I. PRINCIPALES EDICIONES MODERNAS
   DE «PERIBÁÑEZ Y EL COMENDADOR DE OCAÑA»

Comedias escogidas de Frey Lope Félix de Vega Carpio, ed. de E. Hartzenbusch, Madrid, BAE, vol. LXI, 1950, págs. 281-302.

Peribáñez y el Comendador de Ocaña, ed. de Bonilla y San Martín, Madrid, Clásicos de la Literatura Española, Ruiz Hermanos, 1916.

Teatro y novela de la Edad de Oro. Peribáñez. La Ilustre Fregona, ed. de Miguel Allué Salvador, Zaragoza, Tipografía de la Academia, 1938.

Peribáñez y el Comendador de Ocaña, ed. de Panceira, Buenos Aires, Biblioteca Hispánica, I, 1938.

Peribáñez y el Comendador de Ocaña, ed. de Henríquez Ureña, Buenos Aires, Las Cien obras maestras de la literatura y del pensamiento universal, 1938. También reproducido con *Fuenteovejuna* en Buenos Aires, Losada, 1966, por la que cito en las anotaciones.

Cuatro comedias, ed. de John M. Hill y Mabel H. Harlan, Nueva York, W. Norton Co., 1941.

Peribáñez y el Comendador de Ocaña, ed. de Ch. V. Aubrun y Fernández Montesinos, París, Hachette, 1943.

Peribáñez y el Comendador de Ocaña, ed. de José M.ª Blecua, Zaragoza, Ebro, 1959.

Fuenteovejuna, Peribáñez, El mejor alcalde el Rey, El caballero de Olmedo, ed. de J. M. Lope Blanch, México, Porrúa, 1962.

Peribáñez y el Comendador de Ocaña, ed. de Zamora Vicente, Madrid, Clásicos Castellanos, 1963.

Peribáñez y el Comendador de Ocaña, ed. de Joaquín Artiles, Madrid, Publicaciones de la Revista «Enseñanza Media», 1965.

Fuenteovejuna. Peribáñez, ed. de F. García Pavón, Madrid, Taurus (Temas de España), 1965.

49

Peribáñez y el Comendador de Ocaña, edición, con introducción, notas y vocabulario de William Smith Mitchell, Londres, G. Bell and Sons, 1971.

Peribáñez, La moza del cántaro y *El marido más firme,* edición de J. M. Díez Borque, Madrid, Editora Nacional, 1975.

II. Estudios esenciales sobre «Peribáñez»

Arango, M. A., «Aspectos sociales en dos comedias de Lope de Vega, *Peribáñez y Fuenteovejuna*», en *Cuadernos Americanos,* 36, núm. 3, 1977, págs. 170-175.

Boorman, J. T., *«Divina ley* and *derecho humano* in *Peribáñez»,* en *Bulletin of the Comediantes,* XII, 2, 1960, págs. 12-14.

Bruerton, Courtney, «More on the date *of Peribáñez»,* en *Hispanic Review,* XVII, 1949, págs. 35-46.

— *«La quinta de Florencia,* fuente de *Peribáñez»,* en *Nueva Revista de Filología Hispánica,* IV, 1950, págs. 25-39.

Correa, Gustavo, «El doble aspecto de la honra en *Peribáñez y el Comendador de Ocaña»,* en *Hispanic Review,* XXVI, 1958, págs. 188-199.

Dixon, Victor, «The Simbolism of *Peribáñez»,* en *Bulletin of Hispanic Studies,* XLIII, 1966, págs. 11-24.

Ferguson, Ch. A., «Personaje, imagen y tema en *Peribáñez»,* en *Revista de la Facultad de Humanidades,* II, 1960, págs. 313-332.

Green, Otis H., «The date of *Peribáñez y el Comendador de Ocaña»,* en *Modern Language Notes,* XLVI, 1931, págs. 163-166.

Griswold Morley, S., «La fecha de *Peribáñez»,* en «Notas sobre cronología lopesca», en *Revista de Filología Española,* XIX, 1932, págs. 156-157.

Günter, Georges, «Relación del *Peribáñez»,* en *Revista de Filología Española,* LIV, 1971, págs. 37-52.

Halkhoree, P. R. K., «The dramatic use of place in Lope de Vega's *Peribáñez»,* en *Bulletin of the Comediantes,* 30, núm. 1, 1978, págs. 13-18.

Loveluck, Juan, «La fecha de *Peribáñez y el Comendador de Ocaña»,* en *Atenea,* CX, 1953, págs. 419-424.

Menéndez Pelayo, Marcelino, *Estudios sobre el teatro de Lope de Vega,* Madrid, CSIC, vol. V, 1949, págs. 35-55.

Merimée, H., *«*"Casados" ou "Cansados"*»,* en *Revista de Filología Española,* VI, 1919, págs. 61-63.

Pérez y Pérez, M.ª Cruz, *Bibliografía del teatro de Lope de Vega,* Madrid, CSIC, 1973.

PONCET, Carolina, «El tema tradicional de Lope de Vega: estudio y lecturas de *Peribáñez*», en la *Revista Cubana*, XXXVI, 1935, págs. 163-201.

— «Consideraciones sobre el episodio de Belardo en la tragicomedia *Peribáñez*», en la *Revista Cubana*, XIV, 1940, págs. 78-90.

RANDEL, M. G., «The Portrait and the Creation of *Peribáñez*», en *Romanische Forschungen*, 85, 1973, págs. 145-158.

SALOMON, Noël, «Simple remarque à propos du problème de la date de *Peribáñez y el Comendador de Ocaña*», en *Bulletin Hispanique*, XLIII, 1961, págs. 251-258.

— «Toujours la date de *Peribáñez y el Comendador de Ocaña*», en *Mélanges offerts à Marcel Bataillon*, Bordeaux, 1962.

— *Recherches sur le thème paysans dans la «Comedia» au temps de Lope de Vega*, Bordeaux, Institut d'Études Ibériques et Ibéroaméricaines de l'Université, 1965.

— «Nuevos datos sobre *Peribáñez y el Comendador de Ocaña*, tragicomedia de Lope de Vega», en *Revista de Humanidades*, IX, 1966, págs. 31-76.

SÁNCHEZ, R. G., «El contenido irónico-teatral en el *Peribáñez* de Lope de Vega», en *Clavileño*, núm. 29, 1954, págs. 17-25.

SILVERMAN, J., «Peribáñez y Vellido Dolfos», en *Bulletin Hispanique*, LV, 1953, págs. 378-380.

— «Los "hidalgos cansados" de Lope de Vega», en *Homenaje a William L. Fichter*, Madrid, Castalia, 1971, págs. 693-711.

SIMÓN DÍAZ, J. y JOSÉ PRADES, J. de, *De ensayos de una bibliografía de las obras y artículos sobre la vida y escritos de Lope de Vega*, Madrid, 1955.

VAREY, J. E., «The Essential Ambiguity in Lope de Vega's *Peribáñez*: Theme and Staging», en *Theatre Research International*, 1, 1976, págs. 157-178.

WAGNER, Ch. P., «The date: of *Peribáñez*», en *Hispanic Rewiew*, XV, 1947, págs. 72-83.

WILSON, E. M., «Imágenes y estructuras en *Peribáñez*», en J. F. Gatti, *El teatro de Lope de Vega*, Buenos Aires, Eudeba, 1962, págs. 50-90.

La famosa tragicomedia de Peribáñez y el Comendador de Ocaña

Estudio de Lope de Vega en su casa madrileña.

ACTO PRIMERO

FIGURAS DEL PRIMER ACTO[1]

UN CURA, *a lo gracioso.*
INÉS, *madrina.*
COSTANZA[2], *labradora.*
CASILDA, *desposada.*
PERIBÁÑEZ, *novio.*
LOS MÚSICOS, *de villanos.*
BARTOLO, *labrador.*
EL COMENDADOR.
DOS REGIDORES DE TOLEDO.

MARÍN. }
LUXÁN. } *Lacayos.*
LABRADORES.
LEONARDO, *criado.*
EL REY ENRIQUE.
EL CONDESTABLE.
ACOMPAÑAMIENTO.
UN PAJE.
[PINTOR.]

[ESCENA I][3]

[Sala en casa de PERIBÁÑEZ, en Ocaña.]

(Boda de villanos. EL CURA; INÉS, madrina; COSTANZA, labradora; CASILDA, novia; PERIBÁÑEZ; MÚSICOS, de labradores.)

INÉS.   Largos años os gozéis.
COSTANZA.   Si son como yo desseo
                          casi inmortales seréis.

---

[1] Respeto la lista de personajes tal y como aparece en las ediciones de 1614, esto es, distribuida por actos.

[2] En B, *Costança.*

[3] Entre corchetes he transcrito lo que no se lee en ninguna de las eds. de 1614 y que son recomposiciones posteriores.

55

CASILDA.	Por el[4] de serviros, creo
	que merezco que me honréis. 5
CURA.	Aunque no parecen mal,
	son excusadas razones
	para cumplimiento igual,
	ni puede haber bendiciones
	que igualen con el missal. 10
	Hartas os dixe: no queda
	cosa que deziros pueda
	el más deudo, el más amigo.
INÉS.	Señor doctor[5] yo no digo
	más de que bien les[6] suceda. 15

Sabido es que en los dramas barrocos no se señalaba la división en estas escenas menores, lo cual es una costumbre configurada en el siglo XVIII. Rengifo define esta unidad en su ed. aumentada del *Arte Poética* con estas palabras: «Quando sale personage nuevo a representar» (Barcelona, 1759, pág. 174).

El drama barroco suele dividirse en grandes secuencias que contienen una acción desarrollada en un determinado lugar y en un mismo tiempo. La variación de uno de estos ingredientes supone el cambio de secuencia. Cada una de estas grandes porciones tiene, pues, su propia unidad de acción, lugar y tiempo. Los anglosajones las designan con el término de *escenas;* los barrocos, por su parte, manipulaban con estas unidades mayores y no con las modernas escenas caracterizadas por la unidad de personajes. Se ha comprobado que Lope de Vega trazaba una línea horizontal en los manuscritos para separar los finales de unas de los principios de otras. Además, sabemos incluso su proporción por un teórico del siglo XVII, Pellicer de Tovar, quien escribió en su «Idea de la Comedia de Castilla...»: «Cada Jornada debe constar de tres escenas, que vulgarmente se dizen Salidas» *(Lágrimas penegíricas a la temprana muerte del... Doctor Juan Pérez de Montalbán. Recogidas... por... Pedro Grande de Tena...,* Madrid, 1939, fol. 151r.).

[4] Omisión de la palabra *deseo: por el deseo de serviros.*

[5] Para la mejor comprensión del texto, debe tenerse en cuenta que entre las *dramatis personae* aparecía la de *UN CURA A LO GRACIOSO.* (Ya se verá más tarde, en este sentido, su carácter cobarde cuando opta por alejarse del lugar en el que puede aparecer el novillo, vv. 193-194.) El tratamiento que Inés da de *señor doctor* dirigido a un modesto sacerdote de Ocaña es inadecuado y tendría unos efectos claramente burlescos, ya que el término habitual para designar a los clérigos era el de *licenciado,* tal y como aparece más tarde, en el v. 197.

[6] En B, *le.*

CURA.	Espérolo[7] en Dios, que ayuda
	a la gente virtuosa[8].
	Mi sobrina es muy sesuda.
PERIBÁÑEZ.	Sólo con no ser zelosa
	saca este pleito de duda. 20
CASILDA.	No me deis vos ocasión,
	que en mi vida tendré zelos.
PERIBÁÑEZ.	Por mí no sabréis qué son.
INÉS.	Dizen que al amor los cielos[9]
	le dieron esta pensión[10]. 25
CURA.	Sentáos, y alegrad el día
	en que sois uno los dos[11].
PERIBÁÑEZ.	Yo tengo harta alegría
	en ver que me ha dado Dios
	tan[12] hermosa compañía. 30
CURA.	Bien es que a Dios se atrebuya[13]
	que en el reino de Toledo
	no hay cara como la suya.
CASILDA.	Si con amor pagar puedo,
	esposo, la afición tuya, 35
	de lo que debiendo quedas,
	me estás en obligación.

---

[7] M y B dicen *espérelo*, mientras que en P se lee *espérolo*. Inexplicablemente Z. Vicente, en la pág. 4 de su ed., atribuye la primera lectura al texto B únicamente.

[8] *Virtüosa* con diéresis para lograr la medida octosilábica.

[9] *Cielos*. En B, *celos*. Seguramente se trata de una errata (omisión de *i*), pues de lo contrario habría escrito *zelos*.

[10] *Pensión*: «Metafóricamente se toma por el trabajo, tarea, pena o cuidado que es como consecuencia de alguna cosa que se logra y la sigue inseparablemente» *(Diccionario de Autoridades)*. (Ahora y en adelante téngase en cuenta que he actualizado las grafías de las definiciones dadas por los diccionarios.)

[11] Es un refrán muy difundido en la época y de empleo habitual en las canciones de bodas. Correas define así la frase «Para en uno son los dos»: «Dicen esto cuando se desposan y da la mujer el sí, todos los presentes, y aplícase a otros conformes» (Cfr. *Vocabulario de refranes*, pág. 382).

[12] En M por error, *ten*.

[13] En M y P, *atrebuya*, no así en B que dice *atribuya*. La razón por la que sigo la primera lectura es que hay otros casos de alteración del timbre vocálico en voces semejantes.

PERIBÁÑEZ.   Casilda, mientras no puedas
              excederme en afición
              no con palabras me excedas.   40
                 Toda esta villa de Ocaña
              poner quisiera a tus pies,
              y aun todo aquello que baña
              Tajo[14] hasta ser portugués,
              entrando en el mar de España[15].   45
                 El olivar[16] más cargado
              de azeitunas me parece
              menos hermoso[17], y el prado
              que por el mayo[18] florece
              sólo del alba pisado.   50
                 No hay camuesa[19] que se afeite[20]
              que no te rinda ventaja,
              ni rubio y dorado azeite
              conservado en la tinaja,
              que me cause más deleite.   55
                 Ni el vino blanco imagino
              de cuarenta años tan fino
              como tu boca olorosa;

---

[14] Durante el Siglo de Oro era usual el empleo de nombres de ríos sin el artículo.

[15] *Mar de España* tiene el significado contextual de océano Atlántico; sin embargo, lo más frecuente en la literatura del siglo XVII es su significado de mar Mediterráneo.

[16] A partir de este verso Peribáñez dedica a su mujer toda una serie de afortunados piropos, totalmente acordes con su condición de campesino. La compara con elementos naturales: un olivar, el prado, una manzana, el aceite, etc. Contrástese este registro lingüístico de labrador con el estilizado y caballeresco de los vv. 282 y ss. del Acto III. (Cfr. el art. cit. de Wilson, en la nota 36 de la Introducción.)

[17] Se sobrentiende el segundo término de la comparación *que tú: menos hermoso (que tú).*

[18] En la lengua del Siglo de Oro era admisible el empleo del nombre de mes precedido del artículo.

[19] *Camuesa:* «Especie de manzana algo pálida» *(Dicc. de Autor.).*

[20] *Que se afeite:* el *Dicc. de Autor.* define *afeitar* como «aderezar, adobar, componer con afeites alguna cosa, para que parezca bien».

que como al señor la rosa
le güele[21] al villano el vino.   60
    Cepas que en diziembre[22] arranco
y en otubre[23] dulçe[24] mosto,
[ni][25] mayo de lluvias franco
ni por los fines de agosto
la parva[26] de trigo blanco,   65
    igualan a ver presente
en mi casa un bien, que ha sido
prevención más excelente
para el invierno aterido
y para el verano ardiente.   70
    Contigo, Casilda, tengo
cuanto puedo dessear[27],
y sólo el pecho prevengo;
en él te he dado lugar,
ya que a merecerte vengo.   75
    Vive en él; que si un villano[28]
por la paz del alma es rey,
que tú eres reina está llano,
ya porque es divina ley,
y ya por derecho humano.   80
    Reina, pues que tan dichosa
te hará el cielo, dulce esposa,

---

[21] En B, *huele*.

[22] En B, *Deziembre*.

[23] *Otubre* en las tres eds. de 1614. Respeto la grafía, puesto que debe de tratarse de una simplificación de grupos consonánticos cultos más que de un simple error.

[24] En B y P *dulce;* doy la lectura de M.

[25] Las eds. de 1614 dicen *en mayo de lluvias franco*. Sigo la corrección de Hartzenbusch.

[26] *Parva:* «La mies tendida en la era para trillarla, u después de trillada, antes de separar el grano. Covarrubias dice que se llamó así porque siempre al labrador le parece pequeña» *(Dicc. de Autor.)*.

[27] P y B dicen *dessear;* mientras que M escribe *desear.*

[28] Como ha indicado Z. Vicente, en la pág. 6 de su ed., estos versos se hacen eco de la tradición renacentista que exaltaba la vida rústica. Y ello se hace precisamente en un momento de enorme penuria en el campo y cuando el éxodo es masivo.

que te diga quien te vea:
la ventura de la fea[29]
passósse[30] a Casilda hermosa.　　　　　　85

CASILDA.　　　　Pues yo, ¿cómo te diré
lo menos que miro en ti,
que lo más del alma fue?
Jamás en el baile oí
son que me bullese el pie,　　　　　　90
que tal plazer me causasse,
cuando el tamboril sonasse,
por más que el tamborilero
chiflasse[31] con el guarguero[31bis]
y con el palo tocasse.　　　　　　95
En mañana de San Juan
nunca más plazer me hizieron
la verbena[32] y arrayán[33],
ni los relinchos[34] me dieron
el que tus vozes me dan[35].　　　　　　100
¿Cuál adufe[36] bien templado,
cuál salterio[37] te ha igualado,

---

[29] Las palabras de Peribáñez se refieren al refrán que rezaba así: «La ventura de la fea, la bonita la desea».

[30] En P, passóse.

[31] Doy la lectura de M y B. P dice chillasse, que es la versión que prefiere Z. Vicente en su ed. El verbo chiflar es definido por el Dicc. de Autor. como «silbar o dar chiflidos con la boca o con la chifla, de cuyo nombre se forma este verbo».

[31bis] Guarguero, garganta.

[32] La verbena era una flor que, según la creencia popular, tenía propiedades afrodisíacas y excitaba el apetito sexual.

[33] Arrayán: «planta que siempre está verde» (Dicc. de Autor.).

[34] Relinchos: «se toma por los gritos y voces en regocijo y fiesta» (Dicc. de Autor.).

[35] El sentido de estos versos se entenderá al tener en cuenta que era costumbre recoger durante la festividad de San Juan diversas flores del campo, como las que se citan en el texto.

[36] Adufe: «cierto género de tamboril bajo y cuadrado de que usan las mujeres para bailar, que por otro nombre se llama pandero» (Dicc. de Autor.).

[37] Salterio. Covarrubias describe así la palabra: «El instrumento que agora llamamos salterio es un instrumento que tendrá de ancho poco más que un palmo, y de largo una vara, hueco por de dentro, y el alto de las costillas de cuatro dedos; tiene muchas cuerdas, todas de alambre, y concertadas de suer-

cuál pendón de processión
con sus borlas y cordón,
a[38] tu sombrero chapado[39]?   105

    No hay pies con çapatos nuevos
como agradan tus amores[40];
eres entre mil mancebos
hornazo[41] en Pascua de Flores
con sus picos y sus huevos.   110

    Pareces en verde prado
toro bravo y rojo echado;
pareces camisa nueva,
que entre jazmines se lleva
en açafate[42] dorado.   115

    Pareces cirio pascual
y mazapán de bautismo,
con capillo[43] de zendal,
y parécete a ti mismo,
porque no tienes igual.   120

CURA.   Ea, bastan los amores;
que quieren estos mancebos
bailar y ofrecer.

---

te que tocándolas todas juntas con un palillo guarnecido de grana hace un
sonido apacible; y su igualdad sirve de bordón para la flauta que el músico
deste instrumento tañe con la mano siniestra, y conforme al son que quiere
hacer sigue el compás con el palote; úsase en las aldeas, en las procesiones,
en las bodas, en los bailes y danzas».

[38] Omisión de la palabra *ha igualado*.

[39] *Chapado* tiene el sentido de «perfecto». Covarrubias lo define así: «Chapado, el hombre de hecho y de valor, porque va guarnecido con su virtud y
esfuerzo».

[40] El sentido de estos versos está obscurecido por la presencia del anacolu-
to. Significan que el amor de Peribáñez es más agradable que el placer de
ponerse zapatos nuevos.

[41] *Hornazo*: «cierto género de rosca amasada con huevos que se suele hacer
en las casas por tiempo de Pascuas» *(Dicc. de Autor.)*.

[42] *Açafate*: «un género de canastillo llano, tejido de mimbres, levantados
en la circunferencia en forma de enrejado cuatro dedos de la misma labor.
También se hacen de paja, oro, plata y charol en la forma y hechura referida»
(Dicc. de Autor.).

[43] *Capillo*: «la cubierta o paño con que se cubría la ofrenda de pan, etc.,
que se ofrecía a la Iglesia» *(Dicc. de Autor.)*.

PERIBÁÑEZ.   Señores,
                    pues no sois en amor nuevos,
                    perdón.
LOS MÚSICOS.   Ama hasta que adores.   125
                    (Canten y dancen)[44].
                       Dente parabienes[45]
                    el mayo garrido,
                    los alegres campos,
                    las fuentes y ríos.
                    Alcen[46] las cabeças   130
                    los verdes alisos[47],
                    y con frutos nuevos
                    almendros floridos.
                    Echen las mañanas,
                    después del rozío,   135
                    en espadas verdes
                    guarnición de lirios.
                    Suban los ganados
                    por el monte mismo
                    que cubrió la nieve,   140
                    a pazer tomillos.
                       (Folía)[48].
                       Y a los nuevos desposados
                    eche Dios su bendición;
                    parabién les den los prados,
                    pues hoy para en uno son[49].   145
                       (Vuelvan a danzar)[50].

---

[44] En M, *canten y danzan*.
[45] A partir de este verso se integra una canción de bodas.
[46] En P, *alçen*.
[47] *Alisos:* árboles de flores blancas y de frutos diminutos y rojos.
[48] *Folía:* «usado regularmente en plural. Cierta danza portuguesa en que entran varias figuras con sonajas y otros instrumentos, que tocan con tanto ruido y el son tan apresurado, que parece están fuera de juicio» (...) «Se llama también un tañido y mudanza de nuestro baile español, que suele bailar uno solo con castañuelas» *(Dicc. de Autor.)*.
[49] Véase n. 11.
[50] En B, *vuelva a dançar*. En M, *vuelva a danzar*. Sigo la lectura de P.

Montañas heladas
y soberbios riscos,
antiguas enzinas
y robustos pinos,
dad passo a las aguas   150
en arroyos limpios
que a los valles baxan
de los yelos fríos.
Canten ruiseñores,
y con dulces silbos   155
sus amores cuenten
a estos verdes mirtos.
Fabriquen las aves
con nuevo artificio
para sus hijuelos   160
amorosos nidos.
    (Folía.)
  Y a los nuevos desposados
eche Dios su bendición;
parabién les den los prados,
pues hoy para en uno son.   165
    (Hagan gran ruido y entre Bartolo,
labrador.)

[ESCENA II]

[Bartolo. *Dichos.*]

Cura.   ¿Qué es aquello?
Bartolo.   ¿No lo veis
        en la grita y el ruido?[51].
Cura.   ¿Mas que el novillo han traído?

---

[51] *Rüido* con diéresis para que el verso resulte octosílabo.

BARTOLO. ¿Cómo un novillo?[52]. Y aun tres.

Pero el[53] tiznado que agora   170
traen del campo, ¡voto al sol,
que tiene brío español!
No se ha encintado[54] en una hora.

Dos vueltas ha dado a Bras[55]
que ningún italiano[56]   175
se ha vido[57] andar tan liviano
por la maroma jamás.

A la yegua de Antón Gil,
del verde rezién sacada[58],
por la panza desgarrada   180
mira el perejil[59].

No es de burlas; que a Tomás,
quitándole los calçones,
no ha quedado en opiniones,
aunque no barbe jamás[60].   185

---

[52] Todo el parlamento de Bartolo está magistralmente confeccionado, teniendo presente su carácter de hombre primario. El *Arte nuevo* exigía una perfecta correspondencia entre expresión y naturaleza del personaje.

[53] Los tres textos de 1614 dicen erróneamente al *tiznado*. *Tiznado* es el toro blanco con manchas negras.

[54] *Encintar* significa atar a los cuernos del toro una cuerda —el cintero—, dejando libres los extremos de la misma para poder sujetarlo.

[55] *Bras* en lugar de *Blas*. El cambio de *l* por *r* es muy frecuente en las palabras que usan los labradores en el teatro de los siglos XVI y XVII, sobre todo en la primera de esas centurias. Los dramaturgos crearon una lengua convencional para que se expresaran en ella los labradores, lengua que trataba de reproducir el habla rural. Combinaba fenómenos fonéticos y léxicos característicos del leonés, a los que añadía arcaísmos y otros recursos. Tal lengua se designaba con el término de sayagués, que en ningún momento era la reproducción del habla real.

[56] *Italiano* con diéresis para que el verso resulte octosílabo. Con el empleo de este vocablo se refiere al hecho de que casi todos los volatineros y acróbatas procedían de tal país, o se hacían pasar por italianos.

[57] Vulgarismo para caracterizar el habla rural de Bartolo.

[58] *Sacada*; en B, se lee erróneamente *casada*.

[59] *Perejil* no es más que un eufemismo para significar el excremento y las interioridades intestinales; sin embargo, Aubrun y Montesinos, en su ed., lo interpretan como la hierba que acababa de comer el animal.

[60] Para comprender el significado de estos versos hay que tener en cuenta la creencia popular de esta época, según la cual, la falta de barba era

	El nuesso[61] Comendador,	
	señor de Ocaña y su tierra,	
	bizarro a picarle cierra,	
	más gallardo que un azor.	
	¡Juro a mí, si no tuviera	190
	cintero[62] el novillo!...	
CURA.	Aquí,	
	¿no podrá entrar?	
BARTOLO.	Antes sí.	
CURA.	Pues, Pedro, dessa[63] manera,	
	allá me suba al terrado[64].	
COSTANZA.	Dígale alguna oración;	195
	que ya ve que no es razón	
	irse, señor licenciado.	
CURA.	Pues oración, ¿a qué fin?	
COSTANZA.	¿A qué fin? De resistillo.	
CURA.	Engáñaste; que hay novillo	200
	que no entiende bien latín[65].	
	(Éntrese.)	
COSTANZA.	Al terrado va[66] sin duda.	
	La grita creciendo va.	
	(Vozes.)	
INÉS.	Todas[67] iremos allá;	
	que, atado, al fin, no se muda.	205

---

indicio de la ausencia de órganos genitales masculinos. Sobre la virilidad de Tomás, un barbilampiño, el pueblo de Ocaña tenía sus dudas; sin embargo, al serle arrebatados los pantalones por el toro, ha probado el error de tal prejuicio.

[61] Es la forma popular de *nuestro*.

[62] *Cintero:* «cuerda hecha regularmente de cerdas que sirve para hacer cabezadas y afianzar las caballerías mayores» (...) «Se llama también aquel lazo de los toros cuando se les enmaroma» *(Dicc. de Autor.)*.

[63] En M y P, *de essa manera*.

[64] *Terrado:* «sitio descubierto en lo último de las casas con el suelo de tierra, de donde tomó el nombre» *(Dicc. de Autor.)*. En el texto, equivale a azotea.

[65] Broma que justifica, junto al risible carácter del personaje, su condición de *cura a lo gracioso*, tal y como aparecía en el índice de las *dramatis personae* del principio.

[66] En la ed. de Z. Vicente se escribe *van*.

[67] En B se lee *todos*.

BARTOLO.	Es verdad que no es possible
	que más que la soga alcançe[68].
	[Vanse.]

[ESCENA III]

[PERIBÁÑEZ, CASILDA.]

PERIBÁÑEZ.	¿Tú quieres que intente un lanze?	
CASILDA.	¡Ay no, mi bien, que es terrible!	
PERIBÁÑEZ.	Aunque más terrible sea,	210
	de los cuernos le asiré,	
	y en tierra con él daré,	
	porque mi valor se vea.	
CASILDA.	No conviene a tu decoro	
	el día que te has casado,	215
	ni que un rezién desposado	
	se ponga en cuernos de un toro[69].	
PERIBÁÑEZ.	Si refranes considero,	
	dos me dan gran pesadumbre:	
	que a la cárcel, ni aun por lumbre[70]	220
	y de cuernos, ni aun tintero[71].	
	Quiero obedecer.	
CASILDA.	¡Ay Dios!	
	[Ruido y voces dentro.]	
	¿Qué es esto?	

---

[68] En P y B *alcance*. Prefiero la lectura de M que es la que doy.

[69] Correas recoge en su *Vocabulario de refranes* «Ponerse en los cuernos del toro», que tiene el sentido de ponerse en gran peligro.

[70] También Correas recoge el refrán «A la cárcel, ni por lumbre».

[71] Los tinteros se hacían de cuernos. La frase recoge el terror al adulterio —los cuernos.

[ESCENA IV]

[BARTOLO. *Dichos.*]

[GENTE.]	*(Dentro.)* ¡Qué gran desdicha!	
CASILDA.	Algún mal hizo, por dicha.	
PERIBÁÑEZ.	¿Cómo, estando aquí los dos?	225
	(BARTOLO *vuelve.*)	
BARTOLO.	¡Oh, que nunca le truxeran[72],	
	pluguiera al cielo, del soto!	
	A la fee[73], que no se alaben	
	de aquesta fiesta[74] los moços.	
	¡Oh, mal hayas, el novillo!	230
	Nunca en el abril llovioso[75]	
	halles yerba en verde prado,	
	más que si fuera en agosto.	
	Siempre te vença el contrario	
	cuando estuvieres zeloso,	235
	y por los bosques bramando,	
	halles secos los arroyos.	
	Mueras en manos del vulgo,	
	a pura garrocha, en coso;	
	no te mate caballero	240
	con lanza[76] o cuchillo de oro.	
	Mal lacayo por detrás,	
	con el azero mohoso,	
	te haga sentar por fuerça,	
	y manchar en sangre el polvo.	245

---

[72] Wilson, en el art. cit., pág. 64, ha estudiado las semejanzas que guardan las maldiciones que Bartolo dedica al toro con el juramento que el Cid exige al rey, en Santa Gadea. Véase el romance que empieza «En Santa Gadea de Burgos». (Cfr. Menéndez Pidal, *Flor nueva de romances viejos,* Madrid, Austral, 16.ª ed., 1967, pág. 149.)

[73] En B y P, *a la fe.*

[74] En P, por error, *fista.*

[75] Otro caso de alteración del timbre vocálico.

[76] En B, se escribe *lança.*

PERIBÁÑEZ.	Repórtate ya, si quieres,	
	y dinos lo que es, Bartolo;	
	que no maldixera más	
	Zamora a Bellido Dolfos[77].	
BARTOLO.	El Comendador de Ocaña,	250
	mueso[78] señor generoso,	
	en un bayo[79] que cubrían	
	moscas negras[80] pecho y lomo,	
	mostrando por un bozal	
	de plata el rostro fogoso,	255
	y lavando[81] en blanca espuma	
	un tafetán[82] verde y roxo[83],	
	passaba la calle acaso;	
	y viendo correr el toro,	
	caló la gorra y sacó	260
	de la capa el braço airoso.	
	Vibró la vara, y las piernas	
	puso al bayo, que era un corço[84];	
	y, al batir los acicates[85],	
	revolviendo el vulgo loco,	265

---

[77] No nos es conocido ningún romance en que Zamora maldiga a Vellido Dolfos. Wilson, en la pág. 66 del art. cit., afirma que sería extraño tal error en Lope y que, por tanto, hay que pensar que el equivocado es Peribáñez. J. Silverman, por su parte, en «Peribáñez et Vellido Dolfos», en *Bulletin Hispanique*, LV, 1953, págs. 378-380, propugna que no es preciso creer que Peribáñez o Lope hayan querido hacer una observación erudita del apóstrofe de Bartolo, sino más bien una precisión personal en que se equipara la vehemencia de la maldición de Bartolo con la del pueblo zamorano al vituperar al traidor Vellido Dolfos.

[78] *Mueso:* al igual que vimos que ocurría con la palabra *nueso,* se trata de una forma arcaizante equivalente a *nuestro.*

[79] *Bayo:* «color dorado bajo, que tira a blanco y es muy ordinario en los caballos» *(Dicc. de Autor.).*

[80] *Con moscas,* con manchas negras.

[81] En B, y *lavanlo.*

[82] *Tafetán:* «tela de seda muy unida, que cruje y hace ruido, ludiendo con ella» *(Dicc. de Autor.).*

[83] En B dice *rojo;* en P, *royo.* Sigo la lectura de M.

[84] *Puso al bayo, que era un corço,* esto es, por la velocidad que hizo alcanzar al caballo.

[85] *Acicates:* «la espuela de la jineta, la cual sólo tiene una punta para picar al caballo» *(Dicc. de Autor.).*

trabó la soga al caballo,
y cayó en medio de todos.
Tan grande fue la caída,
que es el peligro forçoso.
Pero ¿qué os cuento, si aquí   270
le trae la gente en hombros?

[ESCENA V]

(EL COMENDADOR, *entre algunos labradores; dos lacayos, de librea,* MARÍN *y* LUXÁN; *borceguís*[86], *capa y gorra.*)
[Dichos.]

BARTOLO[87].   Aquí estaba el licenciado,
                   y lo podrán absolver.
INÉS.   Pienso que se fue a esconder.
PERIBÁÑEZ.   Sube, Bartolo, al terrado.   275
BARTOLO.   Voy a buscarle.
PERIBÁÑEZ.   Camina.
                   [Vase BARTOLO. *Ponen en una silla al*
                   COMENDADOR.*]*
LUXÁN[88].   Por silla vamos los dos
                   en que llevarle, si Dios
                   llevársele determina.
MARÍN.   Vamos, Luxán, que sospecho   280
                   que es muerto el Comendador.
LUXÁN.   El coraçón de temor
                   me va saltando en el pecho
                   [Vanse LUXÁN *y* MARÍN.*]*

---

[86] *Borceguís:* «especie de calzado u botín con soletilla de cuero, sobre que se ponen los zapatos o chinelas» *(Dicc. de Autor.).*
[87] En las eds. de 1614 se lee San. en lugar de Bar[tolo]. Dado que dicha abreviatura no corresponde a ninguna de las figuras dramáticas anunciadas al principio, optamos por leer, como en otras ediciones modernas, Bartolo. Hartzenbusch escribe Marin.
[88] Las eds. de 1614 escriben la abreviatura LU. Escribo el nombre completo, respetando la grafía tal y como otras veces aparece.

CASILDA.   Id vos, porque me parece,
                Pedro, que algo vuelve en sí,   285
                y traed agua.

PERIBÁÑEZ.   Si aquí
                el Comendador muriesse,
                   no vivo más en Ocaña.
                ¡Maldita la fiesta sea!
                (*Vanse todos. Queden* CASILDA *y* EL
                COMENDADOR *en una silla, y ella*
                tomándole las manos.)

[ESCENA VI]

[CASILDA, EL COMENDADOR.]

CASILDA.   ¡Oh, qué mal [el mal[89]] se emplea   290
                en quien es la flor de España[90]!
                   ¡Ah, gallardo caballero!
                ¡Ah, valiente lidiador!
                ¿Sois vos quien daba temor
                con esse desnudo azero   295
                   a los moros de Granada?
                ¿Sois vos quien tantos[91] mató?
                ¡Una soga derribó
                a quien no pudo su espada!
                   Con soga os hiere la muerte;   300
                mas será por ser ladrón[92]

---

[89] En las eds. de 1614 no se incluye lo transcrito entre corchetes, que es
una acertada reposición de Hartzenbusch.

[90] Obsérvense los elogios dirigidos al Comendador. El personaje está adornado por el momento de toda suerte de virtudes. Evidentemente, don Fadrique no es de la catadura moral del Comendador de *Fuenteovejuna,* pero el
enamoramiento, que pronto nacerá en su pecho con relación a Casilda, lo
enajenará.

[91] Complemento directo personal sin la preposición *a,* lo cual resulta har-
to frecuente en la comedia.

[92] Se juega con dos conceptos, la *soga* que ha derribado al comendador y
la *soga* con que se ajusticia a los malhechores.

	de la gloria y opinión	
	de tanto capitán fuerte.	
	¡Ah, señor Comendador!	
COMENDADOR.	¿Quién llama? ¿Quién está aquí?	305
CASILDA.	¡Albricias[93], que habló!	
COMENDADOR.	¡Ay de mí!	
	¿Quién eres?	
CASILDA[94].	Yo soy, señor.	
	No os aflijáis[95]; que no estáis	
	donde no os desean[96] más bien	
	que vos mismo, aunque también	310
	quexas, mi señor, tengáis	
	de haber corrido aquel toro.	
	Hazed cuenta que esta casa	
	es vuestra[97].	
COMENDADOR.	Hoy [a ella] passa	
	todo el humano tesoro[98].	315
	Estuve muerto en el suelo,	
	y como ya lo creí,	
	cuando los ojos abrí,	
	pensé que estaba en el cielo.	
	Desengañadme, por Dios;	320
	que es justo pensar que sea,	
	cielo, donde un hombre vea	
	que hay ángeles como vos.	
CASILDA.	Antes por vuestras razones	
	podría yo presumir	325
	que estáis cerca de morir.	

---

[93] *Albricias:* «las dádivas, regalo u dones que se hacen pidiéndose, o sin pedirse, por alguna buena nueva, o feliz suceso, a la persona que lleva u da la primera noticia al interesado» *(Dicc. de Autor.).* Aquí tiene ya el significado de simple exclamación.

[94] En B, erróneamente se escribe Bas. por Cas[ilda].

[95] En P, por error *afflijáis.*

[96] En B, *dessean.*

[97] En las eds. de 1614 se lee erróneamente *aunque es vuestra.*

[98] El Comendador emplea un lenguaje cortesano para galantear con Casilda. Por otra parte, obsérvense los símbolos celestes a que acude, frente a los terrestres que empleaba Peribáñez. (Cfr. el art. cit. de Wilson.)

COMENDADOR.	¿Cómo?	
CASILDA.	Porque veis visiones[99].	
	Y advierta vueseñoría	
	que, si es agradecimiento	
	de hallarse en el aposento	330
	desta humilde casa mía,	
	de hoy solamente lo es.	
COMENDADOR.	¿Sois la novia, por ventura?	
CASILDA.	No por ventura, si dura	
	y crece este mal después,	335
	venido por mi ocasión.	
COMENDADOR.	¿Que vos estáis ya casada?	
CASILDA.	Casada y bien empleada[100].	
COMENDADOR.	Pocas hermosas lo son.	
CASILDA[101].	Pues por esso he yo tenido	340
	la ventura de la fea[102].	
COMENDADOR.	*[Aparte.]*	
	(Que un tosco villano sea	
	desta hermosura marido!)	
	¿Vuestro nombre?	
CASILDA.	Con perdón,	
	Casilda, señor, me nombro.	345
COMENDADOR.	*[Aparte.]*	
	(De ver su traje me assombro	
	y su rara perfeción[103].)	
	Diamante en plomo engastado,	
	¡dichoso el nombre mil vezes	
	a quien tu hermosura ofreces!	350
CASILDA.	No es él el bien empleado[104];	
	yo lo soy, Comendador;	
	créalo su señoría.	

---

[99] En B, por error escriben *porque veis a mil sones*.

[100] *Empleada* era sinónimo de casada. En el texto, probablemente tenga un valor intensificativo.

[101] En B, por error se escribe Cast. en lugar de Cas[ilda].

[102] Recuérdese la nota 29.

[103] Para las siguientes referencias a las piedras preciosas véase el art. cit. de Wilson.

[104] Véase *supra*, n. 100.

72

COMENDADOR.	Aun para ser mujer mía
	tenéis, Casilda, valor[105]. 355
	Dame licencia que pueda
	regalarte.
	(PERIBÁÑEZ *entre.*)

[ESCENA VII]

[PERIBÁÑEZ. *Dichos.*]

PERIBÁÑEZ.	No parece
	el licenciado. Si crece
	el acidente[106]...
CASILDA.	Ahí te queda,
	porque ya tiene[107] salud 360
	don Fadrique, mi señor.
PERIBÁÑEZ.	Albricias[108] te da mi amor.
COMENDADOR.	Tal ha sido la virtud
	desta piedra celestial[109].

[ESCENA VIII]

(MARÍN y LUXÁN, *lacayos.*) [*Dichos.*]

MARÍN.	Ya dizen que ha vuelto en sí. 365
LUXÁN.	Señor, la silla está aquí
COMENDADOR.	Pues no passe del portal;
	que no he menester ponerme
	en ella.
LUXÁN.	¡Gracias a Dios!

---

[105] Recuérdese lo dicho en la Introducción sobre la rígida estratificación social del siglo XVII.

[106] Simplificación del grupo consonántico culto.

[107] P escribe por error *ciene* por *tiene*.

[108] Véase la n. 93.

[109] Véase la n. 103.

COMENDADOR.	Esto que os debo a los dos,	370
	si con salud vengo a verme,	
	satisfaré de manera	
	que conozcáis lo que siento	
	vuestro buen acogimiento.	
PERIBÁÑEZ.	Si a vuestra salud pudiera,	375
	señor, ofrecer la mía,	
	no lo dudéis.	
COMENDADOR.	Yo lo creo.	
LUXÁN.	¿Qué sientes?	
COMENDADOR.	Un gran desseo,	
	que cuando entré no tenía.	
LUXÁN.	No lo entiendo.	
COMENDADOR.	Importa poco.	380
LUXÁN.	Yo hablo de tu caída.	
COMENDADOR.	En peligro está mi vida	
	por un pensamiento loco.	

(Váyanse; queden CASILDA *y* PERIBÁÑEZ.)*

[ESCENA IX]

[CASILDA *y* PERIBÁÑEZ.]

PERIBÁÑEZ.	Parece que va mejor.	
CASILDA.	Lástima, Pedro, me ha dado.	385
PERIBÁÑEZ.	Por mal agüero he tomado	
	que caiga el Comendador.	
	¡Mal haya la fiesta, amén,	
	el novillo y quien lo ató!	
CASILDA.	No es nada, luego[110] me habló.	390
	Antes lo[111] tengo por bien,	
	porque nos haga favor,	
	si ocasión se nos ofrece[112].	

---

[110] *Luego,* enseguida.
[111] En B, *le.*
[112] En M, por error *efrece.*

PERIBÁÑEZ.	Casilda, mi amor merece
	satisfación de mi amor.

395

    Ya estamos en nuestra casa,
su dueño y mío has de ser;
ya sabes que la mujer
para obedecer se casa;

    que assí se lo dixo Dios 400
en el principio del mundo,
que en[113] esso estriba, me fundo,
la paz y el bien de los dos.

    Espero amores de ti
que has de hazer gloria mi pena. 405

CASILDA. ¿Qué ha de tener para buena
una mujer?

PERIBÁÑEZ.   Oye.

CASILDA.   Di.

PERIBÁÑEZ.   Amar y honrar[114] su marido
es letra deste abecé,
siendo buena por la B, 410
que es todo el bien que te pido.

    Haráte cuerda la C,
la D dulce y entendida
la E, y la F en la vida
firme, fuerte y de gran fee[115]. 415

    La G, grave, y para honrada
la H, que con la I
te hará iIlustre, si de ti
queda mi casa illustrada[116].

    Limpia serás por la L, 420
y por la M maestra
de tus hijos, cual lo muestra
quien de sus vicios se duele.

    La N te enseña un no
a solicitudes locas; 425

---

[113] P dice *que esso estriben, me fundo.*
[114] Complemento directo personal sin preposición *a.*
[115] En B y P, se lee *fe.* Prefiero la versión de M.
[116] En M y P, *ilustrada.* Sigo la lectura de B.

que este no, que aprenden pocas,
está en la N y la O.
   La P te hará pensativa,
la Q bien quista[117], la R
con tal razón, que destierre   430
toda[118] locura excesiva.
   Solícita te ha de hazer
de mi regalo la S,
la T tal que no pudiesse
hallarse mejor mujer.   435
   La V te hará verdadera,
la X buena cristiana[119],
letra que en la vida humana
has de aprender la primera.
   Por la Z has de guardarte   440
de ser zelosa; que es cosa
que nuestra paz amorosa
puede, Casilda, quitarte.
   Aprende este canto llano[120];
que, con aquesta cartilla,   445
tú serás flor de la villa,
y yo el más noble villano.

CASILDA.   Estudiaré, por servirte
las letras de esse abecé;
pero dime si podré   450

---

[117] *Quista:* «querida, apreciada y estimada. Júntase regularmente con los adverbios *bien* o *mal*» *(Dicc. de Autor.).*

[118] En las eds. de 1614, *todo.*

[119] Modernizo la grafía *christiana* de las eds. de 1614. La X, en griego, era la letra por la que empezaba el nombre de *Cristo.*

[120] *Canto llano:* «es aquel cuyas notas o puntos proceden con igual y uniforme figura y medida de tiempo» *(Dicc. de Autor.).* A pesar de esta definición, al término parece convenirle más el sentido de «narración sencilla» como quiere Z. Vicente en su edición citada. En su apoyo aduce dos textos: «Muchacho, no te metas en dibujos... sigue tu canto llano y no te metas en contrapuntos, que se suelen quebrar de sotiles» (Cervantes, *Quijote,* Clásicos Castellanos, XVI, pág. 162). «Los médicos... buscan términos esquisitos para significar cosas que, por ser tan claras, tienen bergüença de nombrarlas en canto llano» *(La pícara Justina,* Bibliófilos Madrileños, II, pág. 94).

	otro, mi Pedro, dezirte,	
	si no es acaso licencia[121].	
PERIBÁÑEZ.	Antes yo me huelgo[122]. Di;	
	que quiero aprender de ti.	
CASILDA.	Pues escucha, y ten paciencia.	455

La primera letra es A,
que altanero no has de ser;
por la B no me has de hazer
burla para siempre ya.

La C te hará compañero   460
en mis trabajos; la D,
dadivoso, por la fee[123]
con que regalarte espero.

La F, de fácil trato,
la G, galán para mí,   465
la H, honesto, y la I,
sin pensamiento de ingrato.

Por la L, liberal
y por la M el mejor
marido que tuvo amor,   470
porque es el mayor caudal.

Por la N no serás
necio, que es fuerte castigo;
por la O sólo conmigo
todas las horas tendrás.   475

Por la P me has de hazer obras
de padre; porque quererme
por la Q[124], será ponerme
en la obligación que cobras.

Por la R regalarme,   480
y por la S servirme,

---

[121] *Licencia:* «se toma muchas veces por libertad inmoderada y facultad de hacer u decir todo cuanto a uno se le antoja» *(Dicc. de Autor.)*.

[122] *Me huelgo.* El *Dicc. de Autor.* define *holgar,* en su segunda acepción, como «celebrar, tener gusto, contento y placer de alguna cosa, alegrarse de ella».

[123] En B y P, *fe.* Prefiero la lectura de M.

[124] Tanto en M como en B se escribe erróneamente *por la G.*

	por la T tenerte firme,	
	por la V verdad tratarme;	
	por la X con abiertos	
	braços[125] imitarla ansí,	485
	(Abrázale.)[126]	
	y como estamos aquí	
	estemos después de muertos.	
PERIBÁÑEZ.	Yo me ofrezco, prenda mía,	
	a saber este abecé.	
	¿Quieres más?	
CASILDA.	Mi bien, no sé	490
	si me atreva el primer día	
	a pedirte un gran favor.	
PERIBÁÑEZ.	Mi amor se agravia de ti.	
CASILDA.	¿Cierto?	
PERIBÁÑEZ.	Sí.	
CASILDA.	Pues oye.	
PERIBÁÑEZ.	Di	
	cuantas se obliga mi amor[127].	495
CASILDA.	El día de la Assumpción	
	se acerca; tengo desseo	
	de ir a Toledo, y creo	
	que no es gusto, es devoción	
	de ver la imagen también	500
	del Sagrario[128], que aquel día	
	sale en procesión [129].	
PERIBÁÑEZ.	La mía	
	es tu voluntad, mi bien.	
	Tratemos de la partida.	
CASILDA.	Ya por la O me pareces	505
	galán: tus manos mil vezes	
	beso.	

---

[125] En B, se escribe por error *raços*.

[126] En B, se escribe *abráçale*.

[127] Doy el verso tal y como aparece en las eds. de 1614. Hartzenbusch prefiere *cuanto es obligar mi amor*.

[128] La Virgen del Sagrario es la patrona de Toledo.

[129] En M, *procesión*.

PERIBÁÑEZ.	A tus primas convida,
	y vaya un famoso[130] carro.
CASILDA.	¿Tanto me quieres honrar?
PERIBÁÑEZ.	Allá te pienso comprar...	510
CASILDA.	Dilo.
PERIBÁÑEZ.	Un vestido bizarro[131].

(Éntre[n]se.)

[ESCENA X]

[Sala en casa de EL COMENDADOR.*]*

(Salga EL COMENDADOR *y* LEONARDO, *criado.)*

COMENDADOR.	Llámame, Leonardo, presto
	a Luxán.
LEONARDO.	Ya le avisé
	pero estaba descompuesto[132].
COMENDADOR	Vuelve a llamarle.
LEONARDO.	Yo iré.	515
COMENDADOR.	Parte.
LEONARDO.	*[Aparte.]*
	¿En qué ha de parar esto?
	Cuando se siente mejor,
	tiene más melancolía,
	y se quexa sin dolor;
	sospiros[133] al aire envía.	520
	¡Mátenme si no es amor! *(Váyase.)*

---

[130] *Famoso:* «se toma también por cosa buena, perfecta y que merece fama» *(Dicc. de Autor.).*
[131] *Bizarro:* «vale también lucido, muy galán, espléndido y adornado» *(Dicc. de Autor.).*
[132] *Descompuesto* significa en el texto que no estaba presentable.
[133] Alteración del timbre vocálico.

[ESCENA XI]

COMENDADOR.   Hermosa labradora,
más bella, más luzida
que ya del sol vestida
la colorada aurora[134];   525
sierra de blanca nieve,
que los rayos de amor vencer se atreve,
   parece que cogiste
con essas blancas manos
en los campos loçanos[135]   530
que el mayo adorna y viste[136],
cuantas flores agora
Céfiro[137] engendra en el regaço a Flora[138].
   Yo vi los verdes prados
llamar tus plantas bellas,   535
por florecer con ellas,
de su nieve pisados,
y vi de tu labrança
nacer al coraçón verde esperança.
   ¡Venturoso el villano   540
que tal agosto ha hecho[139]
del trigo de tu pecho,
con atrevida mano,
y [que[140]] con blanca
barba verá en sus eras de tus hijos
                   [parva[141]. 545

---

[134] Recuérdese la n. 98.

[135] *Loçanos:* «verde, alegre y fecundo» *(Dicc. de Autor.).*

[136] En B, erróneamente *vister.*

[137] *Céfiro* es el viento del Oeste. Aparece en la mitología grecolatina como el marido de *Flora.*

[138] *Flora* es la diosa de la primavera y como tal engendra las flores, según la misma tradición.

[139] En M, por errata *hehco.*

[140] Las eds. de 1614 no incluyen lo que va entre corchetes, sin lo cual el verso resulta hexasílabo.

[141] Véase la n. 26.

Para tan gran tesoro
de[142] fruto sazonado
el mismo sol dorado
te presta el cano de oro[143]
o el que forman estrellas,   550
pues las del norte no serán tan bellas.
   Por su azadón trocara
mi dorada cuchilla,
a Ocaña tu casilla,
casa[144] en que el sol repara.   555
¡Dichoso tú, que tienes
en la trox[145] de tu lecho tantos bienes!

[ESCENA XII]

(Entre LUXÁN.*)*

LUXÁN.	Perdona; que estaba el bayo
	necessitado de mí.
COMENDADOR.	Muerto estoy, matóme un rayo[146]; 560
	aún dura, Luxán, en mí
	la fuerça de aquel desmayo.
LUXÁN.	¿Todavía persevera,
	y aquella passión te dura?
COMENDADOR.	Como va el fuego a su esfera[147] 565
	el alma a tanta hermosura
	sube cobarde y ligera.

---

[142] B escribe *del*.

[143] *Carro de oro* se refiere a la Osa Mayor.

[144] *Casa:* «según los astrólogos es una de las cinco dignidades esenciales que Ptolomeo da a los planetas: y es un lugar en que hallándose el planeta se dice hace mayores, y con más eficacia, sus efectos que en otro cualquier lugar» *(Dicc. de Autor.)*.

[145] *Trox:* «apartamiento donde se recogen los frutos, especialmente el trigo» *(Dicc. de Autor.)*.

[146] Recuérdese lo dicho en la n. 98.

[147] Según Ptolomeo, la Tierra está rodeada de esferas concéntricas que giran alrededor suyo. La esfera del fuego era la última. El fuego subía naturalmente a su elemento. Véase la explicación del fenómeno que da Lope en *El peregrino en su patria,* Madrid, Clásicos Castalia, ed. Avalle-Arce, 1973, pág. 340.

Si quiero, Luxán, hazerme
amigo deste villano,
donde el honor menos duerme   570
que en el sutil cortesano[148],
¿qué medio puede valerme?
        ¿Será bien dezir que trato
de no parecer ingrato
al desseo que mostró?   575
¿Hazerle algún bien?

LUXÁN.   Si yo
quisiera bien, con recato,
    quiero dezir, advertido
de un peligro conocido,
primero que a la mujer,   580
solicitara tener
la gracia de su marido.
        Éste, aunque es hombre de bien
y honrado entre sus iguales,
se descuidará también,   858
si le[149] hazes obras tales
como por otros se ven.
        Que hay marido que, obligado,
procede más descuidado
en la guarda de su honor;   590
que la obligación, señor,
descuida el mayor cuidado.

COMENDADOR.   ¿Qué le daré por primeras
señales?

LUXÁN.   Si consideras
lo que un labrador adulas,   595
será darle un par de mulas
más que si a Ocaña le dieras.

---

[148] Recuérdese lo que se dijo en la Introducción sobre el honor como valor que acompaña sólo al estamento nobiliar. Peribáñez, por el simple hecho
de ser villano rico, no tenía acceso a aquel bien; sin embargo, al ser ordenado
caballero la situación cambia.
[149] B escribe erróneamente *les*.

Éste es el mayor tesoro
de un labrador. Y, a su esposa,
unas arracadas[150] de oro;   600
que con Angélica[151] hermosa
esto escriben de Medoro:
     Reinaldo fuerte en roxa[152] sangre
                              [baña
por Angélica el campo de Agramante;
Roldán valiente, gran señor de
                              [Anglante,   605
cubre de cuerpos la marcial campaña;
     la furia Malgesí del cetro engaña[153],
sangriento corre el fiero Sacripante;
cuanto le pone la ocasión delante,
derriba al suelo Ferragut de España.   610
     Mas mientras los gallardos paladines[154]
armados tiran tajos y revesses,
presentóle Medoro unos chapines[155];

---

[150] *Arracadas:* «los pendientes que se ponen las mujeres en las orejas por
gala y adorno» *(Dicc. de Autor.).*
[151] En el *Orlando Furioso* de Ariosto se cuenta la historia de Angélica, una
princesa, que es pretendida por varios caballeros —Reinaldo, Malgesí, Sacripante, Ferragut— que compiten por conseguir sus favores. Sin embargo, Angélica se enamoró de un joven soldado de las tropas de Agramante, Medoro,
cuando lo encontró herido tras una batalla. Luxán narra en el soneto esta
historia para dar mayor autoridad a su consejo: si regala unos pendientes a
Casilda, la conseguirá rendir como Medoro a Angélica al obsequiarla con
unos chapines. (Esto último es una invención burlesca de Lope que, naturalmente, no aparece en el grandioso poema de Ariosto.)
[152] B escribe *roja.*
[153] Hipérbaton. El orden lógico es *Malgesí engaña la furia del cetro.*
[154] *Paladines.* El *Dicc. de Autor.* define *paladín* como «el caballero fuerte y
valeroso que, voluntario en la guerra, se distingue por sus hazañas».
[155] *Chapines:* «calzado propio de mujeres sobrepuesto al zapato, para le-
vantar el cuerpo del suelo» *(Dicc. de Autor.).* Covarrubias *s./v. chapín* escribe
«en muchas partes no ponen chapines a una mujer hasta el día que se casa, y
todas las doncellas andan en zapatillas». J. Monreal, en «Costumbres del
siglo XVII: Las damas al uso», en *La Ilustración Española y Americana,* XXVI,
1882, 226 *b-c,* escribe: «Los chapines eran también como la señal y marca de
que la mujer salía de la infancia, y, calzándolos, parecía decir a los galanes que
podía ya escuchar sus conceptuosos requiebros» (citado por E. S. Morby, en
su ed. de *La Dorotea,* Madrid, Castalia, 1968, pág. 395, n. 32).

y, entre unos verdes olmos y
[cipreses,
gozó de amor los regalados fines,   615
y la tuvo por suya treze meses.

COMENDADOR.   No pintó mal el poeta
lo que puede el interés.

LUXÁN.   Ten por opinión discreta
la del dar, porque al fin es   620
la más breve y más secreta.
Los servicios personales
son vistos públicamente
y dan del amor señales.
El interés diligente,   625
que negocia por metales[156],
dizen que llevan[157] los pies
todos envueltos en lana.

COMENDADOR.   ¡Pues alto, vença interés!

LUXÁN.   Mares y montes allana,   630
y tú lo verás después.

COMENDADOR.   Desde que fuiste conmigo,
Luxán, al Andaluzía,
y fui en la guerra testigo
de tu honra y valentía,   635
huelgo de tratar contigo
todas las cosas que son
de gusto y secreto, a efeto[158]
de saber tu condición;
que un hombre de bien discreto   640
es digno de estimación
en cualquier parte o lugar
que le ponga su[159] fortuna;
y yo te pienso mudar
deste oficio.

---

156 Por dinero.
157 Z. Vicente transcribe *lleva*.
158 Otro caso de simplificación de grupo consonántico culto.
159 Z. Vicente transcribe *la fortuna*.

LUXÁN.	Si en alguna	645
	cosa te puedo agradar,	
	mándame, y verás mi amor;	
	que yo no puedo, señor,	
	ofrecerte otras grandezas.	
COMENDADOR.	Sácame destas tristezas.	650
LUXÁN.	Éste es el medio mejor.	
COMENDADOR.	Pues vamos, y buscarás	
	el par de mulas más bello	
	que él haya visto jamás.	
LUXÁN.	Ponles esse yugo al cuello;	655
	que antes de un hora verás	
	arar en su pecho fiero	
	surcos de afición, tributo	
	de que tu cosecha espero;	
	que en trigo de amor no hay fruto,	660
	si no se siembra dinero.	
	(Váya[n]se.)	

[ESCENA XIII]

[Sala en casa de PERIBÁÑEZ.*]*

(Salen[160] INÉS, COSTANÇA *y* CASILDA.*)*

CASILDA.	No es tarde para partir.	
	El tiempo es bueno y es llano	
	todo el camino.	
COSTANÇA.	En verano	
	suelen muchas vezes ir	665
	en diez horas, y aún en menos.	
	¿Qué galas llevas, Inés?	
INÉS.	Pobres y el talle[161] que ves.	

---

[160] M dice erróneamente *Selen.*
[161] *Talle:* «metafóricamente vale forma, figura, hechura u disposición física o moral» *(Dicc. de Autor.).*

COSTANÇA.	Yo llevo unos cuerpos llenos
	de passamanos[162] de plata. 670
INÉS.	Desabrochado el sayuelo[163],
	salen bien.
CASILDA.	De terciopelo
	sobre encarnada[164] escarlata[165]
	los pienso llevar, que son
	galas de mujer casada. 675
COSTANÇA.	Una basquiña[166] prestada
	me daba Inés, la de Antón.
	Era palmilla[167] gentil
	de Cuenca, si allá se texe,
	y oblígame a que la dexe 680
	Menga, la de Blasco Gil,
	porque dize que el color
	no dize bien con mi cara.
INÉS.	Bien sé yo quién te prestara
	una faldilla mejor. 685
COSTANÇA.	¿Ca
INÉS.	Casilda.
CASILDA.	Si tú quieres,
	la de grana[168] blanca es buena,
	o la verde, que está llena
	de vivos.

---

[162] *Passamanos:* «se llama también un género de galón o trencilla de oro, plata o lana, que se hace y sirve para guarnecer y adornar los vestidos y otras cosas, por el borde o canto» (*Dicc. de Autor.*).

[163] *Sayuelo:* «significa también una especie de jubón que suelen usar las mujeres y se hace de varias telas» (*Dicc. de Autor.*). «Saya, el vestido de la mujer de los pechos abajo, y lo de arriba, sayuelo» (Covarrubias).

[164] M erróneamente dice *encarnadada*.

[165] *Escarlata:* «paño y tejido de lana, teñido de color fino carmesí, no tan subido como el de la púrpura o grana» (*Dicc. de Autor.*).

[166] *Basquiña:* «ropa o saya que traen las mujeres desde la cintura al suelo, con sus pliegues, que hechos en la parte superior forman la cintura, y por la parte inferior tiene mucho vuelo. Pónese encima de los guardapieses y demás ropa, y algunas tienen por detrás falda que arrastra» (*Dicc. de Autor.*).

[167] *Palmilla:* «cierto género de paño, que particularmente se labra en Cuenca. El más estimado es de color azul» (*Dicc. de Autor.*).

[168] *Grana:* «paño muy fino» (*Dicc. de Autor.*).

COSTANÇA.	Liberal eres	
	y bien acondicionada;	690
	mas, si Pedro ha de reñir,	
	no te la quiero pedir,	
	y guárdete Dios, casada.	
CASILDA.	No es Peribáñez, Costança,	
	tan mal acondicionado.	695
INÉS.	¿Quiérete bien tu velado[169]?	
CASILDA.	¿Tan presto temes mudança?	
	No hay en esta villa toda	
	novios de plazer tan ricos;	
	pero aún comemos los picos	700
	de las roscas de la boda[170].	
INÉS.	¿Dízete muchos amores?	
CASILDA.	No sé yo cuáles son pocos;	
	sé que mis sentidos locos	
	lo están de tantos favores.	705
	Cuando se muestra el luzero,	
	viene del campo mi esposo,	
	de su cena desseosso[171];	
	siéntele el alma primero,	
	y salgo a abrille la puerta,	710
	arrojando el almohadilla,	
	que siempre tengo en la villa	
	quien mis labores concierta.	
	Él de las mulas se arroja[172],	
	y yo me arrojo[173] en sus braços;	715
	tal vez de nuestros abraços	
	la bestia hambrienta se enoja,	

---

[169] Covarrubias define así *velo:* «El que lleva la novia cuando se casa, de donde se llamó aquel acto velambres, y ella y él, velado y velada». Por tanto, *velado* es aquí *marido.*

[170] Es un refrán que significa que los recientes esposos continúan aún en feliz luna de miel.

[171] Obsérvese la deliciosa evocación de la idealizada vida intrahistórica del campesinado. En estos pasajes residen las grandes virtualidades artísticas de la obra, tal y como se dijo en la Introducción.

[172] En P, *arroxa.*

[173] En P, *arroxo.*

y, sintiéndola gruñir,
dize: «En dándole la cena
al ganado, cara buena,   720
volverá Pedro a salir».

Mientras él paja les echa,
ir por cebada me manda;
yo la traigo, él la çaranda[174]
y dexa la que aprovecha.   725

Revuélvela en el pesebre,
y allí me vuelve a abraçar;
que no hay tan baxo lugar
que el amor no le celebre.

Salimos donde ya está   730
dándonos vozes la olla,
porque el ajo y la cebolla,
fuera del olor que da

por toda nuestra cozina,
tocan a la cobertera   735
el villano[175] de manera
que a bailalle nos inclina.

Sácola en limpios manteles,
no en plata, aunque yo quisiera;
platos son de Talavera,   740
que están vertiendo claveles.

Aváhole[176] su escodilla[177]
de sopas con tal primor,

---

[174] *Çaranda* del verbo *zarandar* o *zarandear* que el *Dicc. de Autor.* define como «limpiar el grano por la zaranda». La *zaranda* es el instrumento que tiene un cerco de madera y cuyo círculo va agujereado para filtrar el trigo y separarlo de la paja.

[175] *Villano*: «tañido de la danza española, llamado así porque sus movimientos son a semejanza de los bailes de los aldeanos» *(Dicc. de Autor.)*.

[176] *Aváhole*. El *Dicc. de Autor.* define *avahar* como «calentar con el vaho o aliento alguna cosa: como sucede cuando con él se calientan las manos que están frías, o con el vaho se recalientan las sopas, u otro guisado, puesto encima de la olla de agua que está hirviendo».

[177] *Escodilla:* nuevamente encontramos la alteración del timbre vocálico. Z. Vicente escribe *escudilla*. El *Dicc. de Autor.* la define como «vaso redondo y cóncavo que comúnmente se usa para servir en ella el caldo y las sopas».

que no la come mejor
el señor de muessa[178] villa;   745
    y él lo paga, porque a fee,
que apenas bocado toma,
de que, como a su paloma,
lo que es mejor no me dé.
    Bebe y dexa la mitad;   750
bébole las fuerças yo[179];
traigo olivas, y si no,
es postre la voluntad.
    Acabada la comida,
puestas las manos los dos,   755
dámosle gracias a Dios
por la merced recebida[180];
    y vámonos a acostar,
donde le pesa[181] aurora
cuando se llega la hora   760
de venirnos a llamar.

INÉS.   ¡Dichosa tú, casadilla,
que en tan buen estado estás!
Ea, ya no falta más
sino salir de la villa.   765

---

[178] Véase la n. 78.

[179] Z. Vicente en su ed. anota *Beber las fuerzas*, «beberse lo que otro ha dejado en el vaso».

[180] Alteración del timbre vocálico.

[181] P escribe *pesa a la aurora*, lectura que reproduce Z. Vicente. H. Ureña, por su parte, transcribe *pesa la aurora*. Me inclino por la lectura de M y B.

(Entre PERIBÁÑEZ.)[182]. *[Dichas.]*

CASILDA.	¿Está el carro adereçado?
PERIBÁÑEZ.	Lo mejor que puede está.
CASILDA.	Luego, ¿pueden subir ya?
PERIBÁÑEZ.	Pena, Casilda, me ha dado

    el ver que el carro de Bras   770
    lleva alhombra[183] y repostero[184].

CASILDA.	Pídele a algún caballero.
INÉS.	Al Comendador podrás.
PERIBÁÑEZ.	Él nos mostraba afición

    y pienso que nos le diera.   775

CASILDA.	¿Qué se pierde en ir?
PERIBÁÑEZ.	Espera;

    que a la fee que no es razón
    que vaya sin repostero.

INÉS.	Pues vámonos a vestir.
CASILDA.	También le puedes pedir... 780
PERIBÁÑEZ.	¿Qué, mi Casilda?
CASILDA.	Un sombrero.
PERIBÁÑEZ.	Esso no.
CASILDA.	¿Por qué? ¿Es excesso?
PERIBÁÑEZ.	Porque plumas de señor

    podrán darnos por favor
    a ti viento y a mí peso[185],   785
    (Vanse[186] todos.)

---

[182] Las eds. de 1614 ponen la acotación tras la pregunta de Casilda. Prefiero adelantarla pues, evidentemente, dirige la pregunta a su esposo, quien deberá haber entrado con anterioridad.

[183] Peribáñez emplea la forma popular *alhombra,* mientras que el Comendador, más tarde, hará uso de la culta *alfombra* en el v. 886 de este mismo acto.

[184] *Repostero:* «se llama también un paño cuadrado con las armas del Príncipe o Señor, el cual sirve para poner sobre las cargas de las acémilas y también para colgar en las antecámaras» *(Dicc. de Autor.).*

[185] A ti vanidades y a mí pesadumbre.

[186] En B, dice *Váyanse.*

[ESCENA XV]

[Sala en casa de El Comendador.]

(Entren[187] El Comendador *y* Luxán.)

Comendador.	Bellas son con extremo[188].
Luxán.	Yo no he visto
	mejores bestias, por tu vida y mía,
	en cuantas he tratado, y no son pocas.
Comendador.	Las arracadas[189] faltan.
Luxán.	Dixo el dueño
	que cumplen a estas yerbas[190] [los[191]]
	[tres años 790
	y costaron lo mismo que le diste,
	habrá un mes, en la feria de Mansilla,
	y que saben muy bien de albarda[192] y
	[silla[193].
Comendador.	¿De qué manera, di, Luxán, podremos
	darlas a Peribáñez, su marido, 795
	que no tenga malicia en mi propósito?

---

[187] Las eds. de 1614 dicen *entre.*

[188] Las eds. de 1614 dicen *ellas son con extremo,* lo que no tiene sentido.

[189] Véase la n. 150.

[190] *Yerbas.* El *Dicc. de Autor.* define así *Hierbas:* «se toma asimismo por el tiempo en que nacen las caballerías, por ser cuando empieza a nacer la hierba, y por ella se cuentan sus años o su edad».

[191] Las eds. de 1614 no incluyen lo que va entre corchetes, de modo que el verso quedaría como decasílabo.

[192] *Albarda:* «el aparejo que ponen a las bestias de carga para que puedan llevarla y sin lastimarse el lomo» *(Dicc. de Autor.).*

[193] *Silla:* «se llama también el asiento que se pone sobre el caballo para ir y afirmarse el jinete. La armazón es de madera y hierro, forrada por abajo en lienzo, y por arriba en piel, paño, u otra tela, con fustes por la parte anterior y posterior, levantados lo que baste para afirmarse. Por la parte de abajo tiene un arco para que se asiente en la caballería, con una como perilla adelante» *(Dicc. de Autor.).*

Covarrubias, por su parte, define «Ser de silla y albarda» como «servir de todo».

LUXÁN.	Llamándole a tu casa, y previniédole[194]
	de que estás a su amor agradecido.
	Pero cáusame risa en ver que hagas
	tu secretario en cosas de tu gusto 800
	un hombre de mis prendas.
COMENDADOR.	No te espantes;
	que, sirviendo mujer de humildes prendas,
	es fuerça que lo trate con las tuyas.
	Si sirviera una dama[195], hubiera dado
	parte a mi secretario o mayordomo 805
	o a algunos gentilhombres de mi casa.
	Éstos hizieran joyas, y buscaran
	cadenas de diamantes, brincos[196], perlas,
	telas, rasos, damascos[197], terciopelos,
	y otras cosas extrañas y exquisitas, 810
	hasta en Arabia procurar la fénix[198];
	pero la calidad de lo que quiero
	me obliga a darte parte de mis cosas,
	Luxán, aunque eres mi lacayo; mira
	que para comprar mulas eres propio, 815
	de suerte que yo trato el amor mío
	de la manera misma que él me trata.
LUXÁN.	Ya que no fue tu amor, señor, discreto,
	el modo de tratarle lo parece.

---

[194] En P, *previniéndole*.

[195] Complemento directo personal sin la preposición *a*.

[196] *Brincos:* «es asimismo un joyel pequeño que usaron las mujeres en los tocados, especie o género como los que hoy llaman tembleques: y porque estaban pendientes y se movían como que saltaban y brincaban, se llamaron brincos» *(Dicc. de Autor.)*.

[197] *Damascos:* «tela de seda entre tafetán y raso, labrado siempre con dibujo (...) Es tela noble, y la usan las señoras y caballeros para vestidos y colgaduras» *(Dicc. de Autor.)*.

[198] *Fénix.* En *El viaje entretenido* de A. de Rojas se incluye un esbozo de diccionario mitológico, en el cual se define el *Ave Fénix* como «ave famosa de Arabia, y vive seiscientos años»; edición de J. P. Ressot, Madrid, Clásicos Castalia, 1972, pág. 495.

[ESCENA XVI]

(Entre LEONARDO.)

LEONARDO.	Aquí está Peribáñez.
COMENDADOR.	¿Quién, Leonardo? 820
LEONARDO.	Peribáñez, señor.
COMENDADOR.	¿Qué es lo que dizes?
LEONARDO.	Digo que me pregunta Peribáñez
	[por ti], y yo pienso bien que le conoces.
	Es Peribáñez, labrador de Ocaña,
	cristiano viejo[199], y rico, hombre
	[tenido 825
	en gran veneración de sus iguales,
	y que, si se quisiesse alçar agora
	en esta villa, seguirán su nombre
	cuantos salen al campo con su arado,
	porque es, aunque villano, muy
	[honrado. 830
LUXÁN.	¿De qué has perdido el color?
COMENDADOR.	¡Ay cielos!
	¡Que de sólo venir el que es esposo
	de una mujer que quiero bien, me
	[siento[200]
	descolorir, helar y temblar todo!
LUXÁN.	Luego, ¿no ternás[201] ánimo de verle? 835
COMENDADOR.	Di que entre; que, del modo que [a]
	[quien ama,
	la calle, las ventanas y las rejas
	agradables le son, y en las criadas[202]

---

[199] Recuérdese todo lo dicho en la Introducción sobre la condición de cristianos viejos entre los labradores.

[200] *Me siento.* Doy la lectura de B porque tanto M como P escriben *me sienta.*

[201] Forma arcaica de futuro.

[202] *Crïadas* con diéresis por necesidades métricas.

parece que vee el rostro de su dueño,
assí pienso mirar en su marido   840
la hermosura por quien estoy perdido.

[ESCENA XVII]

(PERIBÁÑEZ *con capa*.) *[Dichos.]*

PERIBÁÑEZ.   Dame tus generosos pies.
COMENDADOR.   ¡Oh Pedro!
Seas mil vezes bien venido. Dame
otras tantas tus braços.
PERIBÁÑEZ.   ¡Señor mío!
¡Tanta merced a un rústico villano   845
de los menores que en Ocaña tienes!
¡Tanta merced a un labrador!
COMENDADOR.   No eres
indigno, Peribáñez, de mis braços;
que, fuera de ser hombre bien nacido,
y, por tu entendimiento y tus
                          [costumbres,   850
honra de los vassallos de mi tierra,
te debo estar agradecido, y tanto,
cuanto ha sido por ti tener la vida;
que pienso que sin ti fuera perdida.
¿Qué quieres desta casa?
PERIBÁÑEZ.   Señor mío,   855
yo soy, ya lo sabrás, rezién[203] casado.
Los hombres, y de bien, cual lo
                          [professo[204],
hazemos, aunque pobres, el oficio
que hizieran[205] los galanes de palacio.
Mi mujer me ha pedido que la lleve   860

---

[203] M y P dicen *recién.*
[204] B escribe *que lo professo.*
[205] Las eds. de 1614 escriben *hicieron.* Sigo la acertada corrección de Hartzenbusch.

                    a la fiesta de agosto, que en Toledo
                    es, como sabes, de su santa iglesia
                    celebrada de suerte, que convoca
                    a todo el reino. Van también sus primas.
                    Yo, señor, tengo en casa pobres
                                            [sargas[206],   865
                    no franceses tapizes de oro y seda,
                    no reposteros[207] con doradas armas,
                    ni coronados de blasón y plumas
                    los timbres generosos[208]; y assí, vengo
                    a que se digne vuestra señoría   870
                    de prestarme una alhombra y repostero[209]
                    para adornar el carro; y le suplico
                    que mi ignorancia su grandeza abone,
                    y como enamorado me perdone.

COMENDADOR.   ¿Estás contento, Peribáñez?

PERIBÁÑEZ.   Tanto,   875
                    que no trocara a este sayal[210] grossero[211]
                    la Encomienda[212] mayor que el pecho
                                            [cruza
                    de vuestra señoría, porque tengo
                    mujer honrada, y no de mala cara,
                    buena cristiana, humilde, y que me
                                            [quiere   880

---

[206] *Sargas:* «se llamaba también una tela de lana algo más fina que la sem-
piterna, la cual sirve regularmente para forro» *(Dicc. de Autor.).* Z. Vicente
anota este vocablo en su ed. cit. con las siguientes palabras: «No era solamente "esa clase de tejido", sino "el tejido pintado con escenas de santos o de
paisajes" con los que se recubrían o adornaban las paredes en las casas pobres; es decir, algo así como los actuales cromos sin valor. Comp.: «Alojáron-
se en una sala baja, a quien servían de guadamaciles unas sargas viejas pintadas, como se usan en las aldeas» (Cervantes, *Quijote,* Clásicos Castellanos,
XXII, pág. 288).

[207] Véase la n. 184.

[208] *Generosos:* «noble y de ilustre prosapia» *(Dicc. de Autor.).*

[209] Véase de nuevo la n. 184.

[210] *Sayal:* «tela muy basta, labrada de lana burda» *(Dicc. de Autor.).*

[211] M escribe *grossoro.*

[212] *Encomienda* significa aquí el símbolo de la Orden de Santiago, la cruz,
que lleva bordada el Comendador.

	no sé si tanto como yo la quiero,	
	pero con más amor que mujer tuvo.	
COMENDADOR.	Tenéis razón de amar a quien os ama,	
	por ley divina y por humanas leyes;	
	que a vos esso os agrada como	
	[vuestro.	885
	¡Hola! Dalde el alfombra mequinesa,	
	con ocho reposteros de mis armas;	
	y pues hay ocasión para pagarle	
	el buen acogimiento de su casa,	
	adonde hallé la vida, las dos mulas	890
	que compré para el coche de camino;	
	y a su esposa llevad las arracadas,	
	si el platero las tiene ya acabadas.	
PERIBÁÑEZ.	Aunque bese la tierra, señor mío,	
	en tu nombre mil veces, no te pago	895
	una mínima parte de las muchas	
	que debo a las mercedes que me hazes.	
	Mi esposa y yo, hasta aquí vassallos tuyos,	
	desde hoy somos esclavos de tu casa.	
COMENDADOR.	Ve, Leonardo, con él.	
LEONARDO.	Ven[te] conmigo.	900
	(Vanse.)	

[ESCENA XVIII]

[EL COMENDADOR, LUXÁN.]

COMENDADOR.	Luxán, ¿qué te parece?
LUXÁN.	Que se viene
	la ventura a tu casa.
COMENDADOR.	Escucha aparte:
	el alazán[213] al punto me adereça;

---

[213] *Alazán:* «dícese con propiedad de los caballos para denotar el color del pelo en los que le tienen rojo» *(Dicc. de Autor.)*.

	que quiero ir a Toledo rebozado[214],	
	porque me lleva el alma esta villana.	905
LUXÁN.	¿Seguirla quieres?	
COMENDADOR.	Sí, pues me persigue,	
	porque este ardor con[215] verla se mitigue.	
	(Váyanse.)	

[ESCENA XIX]

[Entrada a la catedral de Toledo.]
(Entren con acompañamiento EL REY ENRIQUE
y EL CONDESTABLE.)

CONDESTABLE.	Alegre está la ciudad,	
	y a servirte apercebida[216],	
	con la dichosa venida	910
	de tu sacra majestad.	
	Auméntales el plazer	
	ser víspera de tal día[217].	
REY[218].	El desseo que tenía	
	me pueden agradezer[219].	915
	Soy de su rara hermosura	
	el mayor apassionado.	
CONDESTABLE.	Ella, en amor y en cuidado,	
	notablemente procura	
	mostrar agradecimiento.	920

---

[214] B escribe *reboçado*. El *Dicc. de Autor.* define *arrebozar* como «cubrir con un cabo o lado de la capa el rostro, y con especialidad la barba o el bozo, echándola sobre el hombro izquierdo para que no se caiga». Y ofrece esta segunda acepción: «Encubrir, ocultar con disimulo y artificio engañoso alguna cosa, disfrazarla para que tan fácilmente no se conozca».

[215] En P, se escribe por error *ton* por *con*.

[216] Alteración del timbre vocálico.

[217] *Víspera de tal día*. Se refiere al 14 de agosto, víspera de la Asunción, que es la fiesta en que se celebra el día de la Virgen del Sagrario, patrona de Toledo.

[218] Las eds. de 1614 citan como Enrique lo que nosotros transcribimos por Rey.

[219] B y P escriben *agradecer*.

Rey.	Es otava[220] maravilla,
	es corona de Castilla,
	es su lustre y ornamento,
	es cabeça, Condestable,
	de quien los miembros reciben 925
	vida, con que alegres viven;
	es a la vista admirable.
	Como Roma, está sentada
	sobre un monte, que ha vencido
	los siete por quien ha sido 930
	tantos siglos celebrada.
	Salgo de su santa iglesia
	con admiración y amor.
Condestable.	Este milagro, señor[221],
	vence al antiguo de Efessia[222]. 935
	¿Piensas hallarte mañana
	en la procession?
Rey.	Iré,
	para exemplo de mi fee,
	con la Imagen soberana;
	que la querría obligar 940
	a que rogasse por mí
	en esta jornada[223].

[ESCENA XX]

(Un Paje *entre.) [Dichos.]*

Paje.	Aquí
	tus pies vienen a besar
	dos regidores, de parte
	de su noble ayuntamiento. 945

---

[220] El texto, como es habitual, simplifica los grupos consonánticos cultos.

[221] y [222] El Condestable compara la catedral de Toledo con el templo de Artemis, en Efeso, que era otra de las maravillas del mundo. *Efessia:* en B, dice *Efayas.*

[223] *Jornada:* «vale también la expedición a que se destina el ejército» *(Dicc. de Autor.).* Aquí se refiere a la campaña contra los moros de Granada que el rey estaba preparando.

REY.   Di que lleguen.

                    ([Entran] dos REGIDORES.)

REGIDOR.   Essos pies
                    besa, gran señor, Toledo
                    y dize que, para darte
                    respuesta con breve acuerdo
                    a lo que pides, y es justo,   950
                    de la gente y el dinero,
                    junto sus nobles, y todos
                    de común consentimiento,
                    para la jornada ofrecen
                    mil hombres de todo el reino   955
                    y cuarenta mil ducados.
REY.   Mucho a Toledo agradezco
                    el servicio que me haze;
                    pero [es] Toledo en efeto[224].
                    ¿Sois caballeros los dos?   960
REGIDOR.   Los dos somos caballeros.
REY.   Pues hablad al Condestable
                    mañana, porque Toledo
                    vea que en vosotros pago
                    lo que[225] a su nobleza debo.   965

---

[224] *Efeto*, simplificación del grupo consonántico culto. Va entre corchetes
lo añadido por Hartzenbusch.
[225] Z. Vicente transcribe *la que*.

[ESCENA XXI]

(Entren INÉS *y* COSTANZA *y* CASILDA *con sombreros de borlas y vestidos de labradoras al[226] uso de la Sagra[227], y* PERIBÁÑEZ *y* EL COMENDADOR, *de camino[228] detrás.)*

INÉS.	¡Pardiez, que tengo de verle,	
	pues hemos venido a tiempo	
	que está el rey en la ciudad!	
COSTANZA.	¡Oh, qué gallardo mancebo!	
INÉS.	Éste llaman don Enrique	970
	Tercero.	
CASILDA.	¡Qué buen tercero[229]!	
PERIBÁÑEZ.	Es hijo del rey don Juan	
	el Primero, y assí, es nieto	
	del Segundo don Enrique,	
	el que mató al rey don Pedro,	975
	que fue Guzmán por la madre,	
	y valiente caballero[230];	
	aunque más lo fue el hermano;	
	pero, cayendo en el suelo,	
	valióse de la fortuna,	980
	y de los braços assiendo[231]	

---

[226] Las eds. de 1614 dicen *a uso.*

[227] Es una fértil comarca toledana muy cercana al río Tajo y situada al norte y noreste de la provincia.

[228] Los personajes vestían unos trajes especiales *(de camino)* para indicar que estaban de viaje.

[229] Se juega aquí con los dos sentidos de *tercero,* el número del rey y la acepción de «alcahuete».

[230] Lope, al igual que en otras ocasiones en esta misma comedia, respeta la verdad histórica. Pedro I el Cruel fue hijo legítimo de Alfonso XI, mientras que Enrique II de Trastámara fue bastardo. El primero fue muerto por su hermano en el campo de Montiel.

[231] B escribe *asiendo.*

	a Enrique le dio la daga[232],	
	que agora se ha vuelto cetro.	
INÉS.	¿Quién es aquel tan erguido	
	que habla con él?	
PERIBÁÑEZ.	Cuando menos	985
	el Condestable.	
CASILDA.	¿Que son	
	los reyes de carne y huesso?	
COSTANZA.	Pues, ¿de qué pensabas tú?	
CASILDA.	De damasco o terciopelo.	
COSTANÇA.	¡Sí que eres boba en verdad!	990
COMENDADOR.	*[Aparte.]*	
	Como sombra voy siguiendo	
	el sol de aquesta villana,	
	y con tanto atrevimiento,	
	que de la gente del Rey	
	el ser conocido temo.	995
	Pero ya se va al Alcáçar.	
	(Vase el REY *y su gente.)*	
INÉS.	¡Hola! El Rey se va.	
COSTANÇA.	Tan presto,	
	que aún no he podido saber	
	si es barbirrubio[233] o taheño[234].	
INÉS.	Los reyes son a la vista,	1000
	Costança, por el respeto,	
	imágenes de milagros;	
	porque siempre que los vemos,	
	de otra color nos parecen.	

---

[232] Dada la difícil comprensión literal de estos versos, Hartzenbusch los corrigió escribiendo: «volviósele la fortuna, / que, los brazos desasiendo / a Enrique le dio la daga».

[233] Las eds. de 1614 escriben *barbirubio*.

[234] Las eds. de 1614 escriben *tahecho*. *Taheño* lo define el *Dicc. de Autor.* como «adjetivo que se aplica al que tiene la barba roja o bermeja».

[ESCENA XXII]

(LUXÁN *entre con un* PINTOR.) *[Dichos.]*

LUXÁN.	Aquí está.
PINTOR.	¿Cuál dellos?
LUXÁN.	¡Quedo!²³⁵. 1005
	Señor, aquí está el Pintor.
COMENDADOR.	¡Oh amigo!
PINTOR.	A servirte vengo.
COMENDADOR.	¿Traes el naipe²³⁶ y colores?
PINTOR.	Sabiendo tu pensamiento,
	colores y naipe traigo. 1010
COMENDADOR.	Pues, con notable secreto,
	de aquellas tres labradoras
	me retrata la de en medio,
	luego que en cualquier lugar
	tomen con espacio assiento. 1015
PINTOR.	Que será dificultoso
	temo; pero yo me atrevo
	a que se parezca mucho.
COMENDADOR.	Pues advierte lo que quiero.
	Si se parece en el naipe, 1020
	deste retrato pequeño
	quiero que hagas uno grande
	con más espacio, en un lienço.
PINTOR.	¿Quiéresle entero?

---

²³⁵ *Quedo:* «usado como adverbio vale también con voz muy baja » (*Dicc. de Autor.*).

²³⁶ *Naipe* se usa aquí para designar una cartulina pequeña en la que se solían trazar los bocetos de los cuadros.

COMENDADOR.	No tanto;
	basta que de medio cuerpo, 1025
	mas con las mismas patenas[237],
	sartas, camisa y sayuelo.
LUXÁN.	Allí se sientan a ver
	la gente.
PINTOR.	Ocasión tenemos.
	Yo haré el retrato.
PERIBÁÑEZ.	Casilda, 1030
	tomemos aqueste assiento[238]
	para ver las luminarias[239].
INÉS.	Dizen que al ayuntamiento
	traerán bueyes[240] esta noche.
CASILDA.	Vamos, que aquí los veremos 1035
	sin peligro y sin estorbo.
COMENDADOR.	Retrata, Pintor, al cielo,
	todo bordado de nubes,
	y retrata un prado ameno
	todo cubierto de flores. 1040
PINTOR.	¡Cierto que es bella en extremo!
LUXÁN.	Tan bella[241] que está mi amo
	todo cubierto de vello,
	de convertido en salvaje.
PINTOR.	La luz faltará muy presto. 1045
COMENDADOR.	No lo temas; que otro sol
	tiene en sus ojos serenos,

---

[237] *Patenas:* «lámina, o medalla grande, en que está esculpida alguna imagen, que se pone al pecho, y la usan por adorno las labradoras» *(Dicc. de Autor.).*

[238] B escribe *asiento.*

[239] *Luminarias:* «la luz que se pone en las ventanas, en las torres y calles, en señal de fiesta o regocijo público» *(Dicc. de Autor.).*

[240] *Bueyes:* toros para correrlos como diversión pública.

[241] Z. Vicente en su ed. cit. anota: «Juego entre *bella* y *vello.* Enloquecido por la pasión, el Comendador se ha puesto como un salvaje, erizado de cerdas» (pág. 50, n. 1042-1044).

siendo estrellas para ti,
para mí rayos de fuego[242].

FIN DEL PRIMER ACTO[243]

---

[242] Véase la n. 98. G. Güntert, en «Relección del *Peribáñez*», en la *Revista de Filología Española*, LIV, 1971, págs. 37 a 52, escribe lo siguiente: «Don Fadrique encomendó el retrato de Casilda por razones personales, egoístas, con el único fin de satisfacer su ardiente curiosidad sensual, en tanto que las imágenes santas son propiedad de una comunidad y sirven a su mayor bien. Si éstas elevan el alma a la contemplación de la verdad, el retrato de la hermosa Casilda, aunque concebido por un artista, provocará sólo deseo, fuego de pasión, destrucción. El mismo Comendador lo confirma, diciendo de Casilda al pintor:

...otro sol
tiene en sus ojos serenos
siendo *estrellas* para ti
para mí *rayos de fuego*.

Estrella-rayos de fuego: los mismos ojos de Casilda pueden ser vistos de dos maneras, como luz de hermosura y bondad, o como fuego destructivo» (págs. 43-44).

[243] En B está omitido todo el párrafo.

ACTO SEGUNDO

FIGURAS DEL SEGUNDO ACTO

Blas.	Casilda.	
Gil.	Un Pintor.	
Antón.	Mendo.	
Benito.	Llorente[244].	
Peribáñez.	Chaparro.	} Segadores.
Luxán.	Helipe.	
El Comendador.	Bartolo.	
Inés.	Leonardo.	

[ESCENA I]

[Sala de Juntas de una cofradía, en Ocaña.]

(Cuatro labradores: Blas, Gil, Antón, Benito.*)*

Benito.   Yo soy deste parecer.
Gil.   Pues assentaos y escribildo[245].
Antón.   Mal hazemos en hazer
             entre tan pocos cabildo[246].

---

[244] En B, *Lorente*.
[245] *Escribildo* por metátesis de *escribidlo*.
[246] *Cabildo:* «se llama también la junta de algunas personas de un gremio, congregación, cofradía» *(Dicc. de Autor.)*.

BENITO[247].	Ya se llamó desde ayer.	5
BLAS.	Mil faltas se han conocido	
	en esta fiesta passada.	
GIL.	Puesto, señores, que[248] ha sido	
	la processión tan honrada	
	y el Santo tan bien servido	10
	debemos considerar	
	que parece mal faltar	
	en tan noble cofradía	
	lo que ahora se podría	
	fácilmente remediar.	15
	Y cierto que, pues que toca	
	a todos un mal que daña	
	generalmente, que es poca	
	devoción de toda Ocaña,	
	y a toda España provoca,	20
	de nuestro santo patrón,	
	Roque, vemos cada día	
	aumentar la devoción	
	una y otra cofradía,	
	una y otra processión	25
	en el reino de Toledo.	
	Pues, ¿por qué tenemos miedo	
	a ningún gasto?	
BENITO.	No ha sido	
	sino descuido y olvido.	

[ESCENA II]

(Entre PERIBÁÑEZ.) *[Dichos.]*

PERIBÁÑEZ.	Si en algo serviros puedo,	30
	veisme aquí, si ya no es tarde.	
BLAS.	Peribáñez, Dios os guarde.	
	Gran falta nos habéis hecho.	

---

[247] Las eds. de 1614 escriben por error Pe. en lugar de Be[nito].
[248] *Puesto que,* aunque.

PERIBÁÑEZ.	El no seros de provecho
	me tiene siempre cobarde. 35
BENITO.	Toma assiento junto a mí.
GIL.	¿Dónde has estado?
PERIBÁÑEZ.	En Toledo;
	que a ver con mi esposa fui
	la fiesta.
ANTÓN.	¿Gran cosa?
PERIBÁÑEZ.	Puedo
	dezir, señores, que vi 40
	un cielo en ver en el suelo
	su santa iglesia y la imagen
	que ser más bella rezelo,
	si no es que a pintarla baxen
	los escultores del cielo[249]; 45
	porque, quien la verdadera
	no haya visto en [la[250]] alta esfera
	del trono en que está sentada,
	no podrá igualar en nada
	lo que Toledo venera. 50
	Hízose la procession
	con aquella majestad
	que suelen, y que es razón,
	añadiendo autoridad
	el Rey en esta ocasión. 55
	Passaba al Andaluzía
	para proseguir la guerra.
GIL.	Mucho nuestra cofradía
	sin vos en mil cosas yerra.
PERIBÁÑEZ.	Pensé venir otro día[251], 60
	y hallarme a la procession
	de nuestro Roque divino;
	pero fue vana intención,

---

[249] Cfr. G. Güntert, art. cit. en n. 242.
[250] Hartzenbusch añadió lo que va entre corchetes.
[251] *Otro día*, al otro día, al día siguiente.

	porque mi Casilda vino[252]	
	con tan devota intención	65
	que hasta que passó la octava[252bis]	
	no pude hazella venir.	
GIL.	¿Que allá el señor Rey estaba?[253]	
PERIBÁÑEZ.	Y el Maestre[254] oí dezir	
	de Alcántara y Calatrava.	70
	¡Brava jornada[255] aperciben!	
	No ha de quedar moro en pie	
	de cuantos beben y viven[256]	
	el Betis[257], aunque bien sé	
	del modo que los reciben.	75
	Pero, esto aparte dexando,	
	¿de qué estábades[258] tratando?	
BENITO.	De la nuestra cofradía[259]	
	de San Roque, y, a fee mía,	
	que el ver que has llegado cuando	80
	mayordomo[260] están haziendo,	
	me ha dado, Pedro, a pensar	
	que vienes a serlo.	
ANTÓN.	En viendo	
	a Peribáñez entrar,	
	lo mismo estaba diziendo.	85
BLAS.	¿Quién lo ha de contradezir?	

---

[252] En P, por error, se dice *vno*.

[252bis] En el v. 921, Acto I, encontrábamos *otava* con la acostumbrada simplificación del grupo consonantico culto; aquí, en cambio, se escribe completo.

[253] B contiene varios errores gráficos en este verso: *que allá el señor Re eystava.*

[254] *Maestre:* «el superior de toda la Orden, en cualquiera de las Militares». *(Dicc. de Autor.)*

[255] Véase la n. 223.

[256] El parecido fonético entre *beber* y *vivir* permite este juego lingüístico.

[257] *Betis,* Guadalquivir.

[258] Forma arcaica de la segunda persona del plural del imperfecto de indicativo del verbo *estar. Estabatis > estábades > estábais.*

[259] *De la nuestra cofradía:* uso arcaico al mantener el artículo ante la forma posesiva.

[260] *Mayordomo:* «se llama también el Oficial que se nombra en las Congregaciones o Cofradías para la distribución de los gastos, cuidado y gobierno de las funciones» *(Dicc. de Autor.).*

GIL.	Por mí digo que lo sea,
	y en la fiesta por venir
	se ponga cuidado, y vea
	lo que es menester pedir. 90
PERIBÁÑEZ.	Aunque por recién casado
	replicar fuera razón,
	puesto que me habéis honrado,
	agravio mi devoción
	huyendo el rostro[261] al cuidado. 95
	Y por servir a San Roque,
	la mayordomía aceto[262],
	para que más me provoque
	a su servicio.
ANTÓN.	En efeto[263],
	haréis mejor lo que toque. 100
PERIBÁÑEZ.	¿Qué es lo que falta de hazer?
BENITO.	Yo quisiera proponer
	que otro San Roque se hiziesse
	más grande, por que tuviesse
	más vista.
PERIBÁÑEZ.	Buen parecer. 105
	¿Qué dize Gil?[264]
GIL.	Que es razón;
	que es viejo y chico el que tiene
	la cofradía.
PERIBÁÑEZ.	¿Y Antón?
ANTÓN.	Que hazerle grande conviene,
	y que ponga devoción. 110
	Está todo desollado
	el perro, y el panecillo
	más de la mitad quitado,
	y el ángel[265], quiero dezillo,
	todo abierto por un lado. 115

---

[261] *Huyendo el rostro:* «volver las espaldas por no tener cuestión» (Covarrubias).
[262] y [263] Simplificación del grupo consonántico culto.
[264] B omite por error *Gil.*
[265] Respeto lo que dicen las eds. de 1614. Hartzenbusch sustituyó *ángel* por *santo.*

<pre>
                         Y [a²⁶⁶] los dos dedos, que son
                         con que da la bendición,
                         falta más de la mitad.
PERIBÁÑEZ.   Blas, ¿qué diz?
BLAS.   Que a la ciudad
                         vayan hoy Pedro y Antón,   120
                         y hagan adereçar
                         el viejo a algún buen pintor;
                         porque no es justo gastar
                         ni hazerle agora mayor,
                         pudiéndole renovar.   125
PERIBÁÑEZ.   Blas dize bien, pues está
                         tan pobre la cofradía;
                         mas, ¿cómo se llevará?
ANTÓN.   En vuessa²⁶⁷ pollina o mía,
                         sin daño y golpes irá,   130
                            de una sábana cubierto.
PERIBÁÑEZ.   Pues esto baste por hoy,
                         si he de ir a Toledo.
BLAS.   Advierto
                         que este parecer que doy
                         no lleva engaño encubierto;   135
                            que, si se ofrece gastar,
                         cuando²⁶⁸ Roque se volviera
                         San Cristóbal, sabré dar
                         mi parte.
</pre>

---

²⁶⁶ Entre corchetes el añadido de Hartzenbusch.
²⁶⁷ Forma popular del posesivo *vuestra*.
²⁶⁸ *Cuando* con valor concesivo: aunque. Para comprender el sentido de estos versos hay que tener en cuenta, como recuerda Z. Vicente en su ed., que san Cristóbal era representado en las iglesias en un tamaño gigantesco. Así, ocupa todo un muro en la catedral de Toledo. Se le representaba de estas dimensiones con el fin de que todos lo viesen, aun sin querer, para beneficiarse de los pretendidos efectos que producía su contemplación, consistente en no morir sin confesión en los tres días siguientes. Según esto, el significado de las palabras de Blas es que no se repare en gastos, pues aunque éstos se aumentasen hasta el punto de alcanzar una cantidad semejante a la que costaría convertir la imagen de san Roque en una gigantesca como la de san Cristóbal, se deberían realizar las reparaciones.

GIL.	Cuando esso fuera,
	¿quién se pudiera excusar? 140
PERIBÁÑEZ.	Pues vamos, Antón; que quiero
	despedirme de mi esposa.
ANTÓN.	Yo con la imagen te espero.
PERIBÁÑEZ.	Llamará Casilda hermosa
	este mi amor lisonjero 145
	que, aunque desculpado[269] quedo
	con que el cabildo me ruega,
	pienso que enojarla puedo,
	pues en tiempo de la siega
	me voy de Ocaña a Toledo. 150
	(Éntre[n]se.)

[ESCENA III]

[Sala en casa de EL COMENDADOR.*][270]*
(Salen EL COMENDADOR *y* LEONARDO.*)*

COMENDADOR.	Cuéntame el sucesso todo.
LEONARDO.	Si de algún provecho es
	haber conquistado a Inés,
	passa, señor, deste modo.
	Vino de Toledo a Ocaña 155
	Inés con tu labradora,
	como de su sol aurora,
	más blanda y menos extraña[271].
	Passé sus calles las vezes
	que pude, aunque con recato, 160
	porque en gente de aquel trato
	hay maliciosos juezes[272].

---

[269] Alteración del timbre vocálico.
[270] Aunque es un añadido de Hartzenbusch, Z. Vicente lo transcribe como si existiese en la ed. de 1614.
[271] *Extraña* está aquí relacionado con la acepción de *extrañar* que el *Dicc. de Autor.* define como «rehusar, negarse tácitamente a hacer alguna cosa, buscando modos para no conceder o hacer lo que se pide».
[272] *Jüezes* con diéresis por necesidades métricas.

Al baile salió una fiesta,
ocasión de hablarla hallé;
habléla de amor y fue   165
la vergüença la respuesta.
     Pero saliendo otro día[273]
a las eras, pude hablalla,
y en el camino contalla
la fingida pena mía.   170
     Ya entonces más libremente
mis palabras escuchó,
y pagarme prometió
mi afición honestamente;
     porque yo le dí a entender   175
que ser mi esposa podría,
aunque ella mucho temía
lo que era razón temer.
     Pero asseguréla yo
que tú, si era su contento,   180
harías el casamiento,
y de otra manera no.
     Con esto está de manera,
que si a Casilda ha de haber
puerta, por aquí ha de ser,   185
que es prima y es bachillera.

COMENDADOR.   ¡Ay Leonardo! ¡Si mi suerte,
al impossible inhumano
de aqueste desdén villano,
roca del mar siempre fuerte,   190
     hallase fácil camino!

LEONARDO.   ¿Tan ingrata te responde?

COMENDADOR.   Seguílla[274], ya sabes dónde,
sombra de su sol divino;
     y, en viendo que me quitaba   195
el reboço, era de suerte,
que, como de ver la muerte,
de mi rostro se espantaba.

---

[273] Véase la n. 251.
[274] M escribe *seguíla*. Prefiero la lectura de B y P.

Ya le salían colores
al rostro, ya se teñía   200
de blanca nieve, y hazía
su furia y desdén mayores.
    Con efetos[275] desiguales,
yo, con los humildes ojos,
mostraba que sus enojos   205
me daban golpes mortales.
    En todo me parecía
que aumentaba su hermosura[276],
y atrevióse mi locura,
Leonardo, a llamar un día   210
    un pintor[277], que retrató
en un naipe su desdén.

LEONARDO.   Y, ¿pareció se?

COMENDADOR.   Tan bien,
que después me le passó
    a un lienço grande, que quiero   215
tener donde siempre esté
a mis ojos, y me dé
más favor que el verdadero.
    Pienso que estará acabado:
tú irás por él a Toledo;   220
pues con el vivo no puedo,
viviré con el pintado.

LEONARDO.   Iré a servirte, aunque siento
que te aflixas[278] por mujer
que la tardas en vencer   225
lo que ella en saber tu intento.
    Déxame hablar con Inés,
que verás lo que sucede.

COMENDADOR.   Si ella lo que dizes puede,
no tiene el mundo interés...   230

---

[275] Simplificación del grupo consonántico culto.

[276] B escribe erróneamente *hermosa*.

[277] Se omite, como es frecuente en la comedia, la preposición *a* ante el complemento directo personal.

[278] B escribe *aflijas*.

[ESCENA IV]

(LUXÁN *entre como segador.*) *[Dichos.]*

LUXÁN.	¿Estás solo?
COMENDADOR.	¡Oh buen Luxán!

Sólo está Leonardo aquí.

LUXÁN.	¡Albricias[279], señor!
COMENDADOR.	Si a ti

desseos no te las dan,
qué hazienda tengo en Ocaña[280].   235

LUXÁN[281].   En forma de segador,
a Peribáñez, señor
—tanto el apariencia engaña—,
pedí jornal en su trigo,
y, desconocido, estoy   240
en su casa desde hoy.

COMENDADOR.   ¡Quién fuera, Luxán, contigo!

LUXÁN.   Mañana, al salir la aurora
hemos de ir los segadores
al campo; mas tus amores   245
tienen gran remedio agora;
que Peribáñez es ido
a Toledo, y te ha dexado
esta noche a mi cuidado;
porque, en estando dormido   250
el escuadrón de la siega
alrededor del portal,

---

[279] Véase la n. 93.

[280] Z. Vicente anota en su ed.: «El Comendador intenta tranquilizar a Luján, asegurándole que le recompensará su servicio. Se trata de una construcción coloquial, forzada, pero de muy fácil interpretación: "Si no te dan mis desseos albricias, ¿para qué mi dinero?"».

[281] Luján comunica a su señor que, para lograr el éxito en la empresa de entrar en casa de Peribáñez y seducir a Casilda, ha logrado ser contratado como segador en casa de aquél, sin ser notada su auténtica personalidad.

	en sintiendo que al umbral	
	tu seña o tu planta llega,	
	abra la puerta, y te adiestre	255
	por donde vayas a ver	
	esta[282] invencible mujer.	
COMENDADOR.	¿Cómo quieres que te muestre	
	debido agradecimiento,	
	Luxán, de tanto favor?	260
LUXÁN.	Es el tesoro mayor	
	del alma el entendimiento.	
COMENDADOR.	¡Por qué camino tan llano	
	has dado a mi mal remedio!	
	Pues no estando de por medio	265
	aquel zeloso villano,	
	y abriéndome tú la puerta	
	al dormir los segadores,	
	queda en mis locos amores	
	la de mi esperança abierta.	270
	¡Brava ventura he tenido,	
	no sólo en que se partiesse,	
	pero de que no te hubiesse	
	por el disfraz conocido!	
	¿Has mirado bien la casa?	275
LUXÁN.	Y, ¡cómo si la miré!	
	Hasta el aposento entré	
	del sol que tu pecho abrasa.	
COMENDADOR.	¿Que has entrado a su aposento?	
	¿Que de tan divino sol[283]	280
	fuiste Faetón[284] español?	
	¡Espantoso atrevimiento!	
	¿Qué hazía aquel ángel bello?	

---

[282] Complemento directo personal sin preposición *a*.

[283] Véase la n. 98.

[284] *Faetón:* «hijo de Climene y del sol, que no sabiendo regir el carro pater-no, abrasó a toda Etiopía, por el cual fue precipitado en el Po» *(El viaje entre-tenido,* ed. cit., pág. 495).

LUXÁN.   Labor en un limpio estrado[285],
              no de seda ni brocado[286],   285
              aunque pudiera tenello,
                 mas de azul guadamecí[287],
              con unos vivos dorados,
              que, en vez de borlas, cortados
              por las cuatro esquinas vi.   290
                 Y como en toda Castilla
              dizen del agosto ya
              que el frío en el rostro da[288],
              y ha llovido en nuestra villa,
                 o por verse caballeros   295
              antes del invierno frío,
              sus paredes, señor mío,
              sustentan tus reposteros.
                 Tanto, que dixe entre mí,
              viendo tus armas honradas: 300
              «Rendidas que no colgadas,
              pues amor lo quiere ansí».

COMENDADOR.   Antes ellas te advirtieron
              de que en aquella ocasión
              tomaban la possessión   305
              de la conquista que hizieron;
                 porque, donde están colgadas,
              lexos están de rendidas.
              Pero, cuando fueran vidas,
              las doy por bien empleadas.   310
                 Vuelve, no te vean aquí,
              que, mientras me voy a[289] armar,

---

[285] *Estrado:* «Lugar o sala cubierta con la alfombra y demás alhajas del estrado, donde se sientan las mujeres y reciben las visitas» *(Dicc. de Autor.)*.

[286] *Brocado:* «tela tejida con seda, oro o plata, o con uno y otro» *(Dicc. de Autor.)*.

[287] *Guadamecí* es un tipo de cuero repujado con el que se decoraban los aposentos de las casas.

[288] «Agosto, frío en rostro. Porque de mediado agosto suele llover y refrescar» (Correas).

[289] En P, *me voy armar.*

116

	querrá la noche llegar	
	para dolerse de mí.	
LUXÁN.	¿Ha de ir Leonardo contigo?	315
COMENDADOR.	Paréceme discreción;	
	porque en cualquier ocasión	
	es bueno al lado un amigo. *(Vanse.)*	

[ESCENA V]

[Portal de casa de PERIBAÑEZ.]

(Entran²⁹⁰ CASILDA *e* INÉS.)

CASILDA.	Conmigo te has de quedar	
	esta noche, por tu vida.	320
INÉS.	Licencia es razón que pida.	
	Desto no te has de agraviar;	
	que son padres en efeto²⁹¹.	
CASILDA.	Enviaréles un recaudo²⁹²,	
	porque no estén con cuidado.	325
	Que ya es tarde te prometo.	
INÉS.	Tráçalo como te dé	
	más gusto, prima querida.	
CASILDA.	No me habrás hecho en tu vida	
	mayor plazer, a la fe.	330
	Esto debes a mi amor.	
INÉS.	Estás, Casilda, enseñada	
	a dormir acompañada;	
	no hay duda, tendrás temor.	
	Y yo mal podré suplir	335
	la falta de tu velado²⁹³;	

---

²⁹⁰ En B, *entren.*
²⁹¹ Simplificación del grupo consonántico culto.
²⁹² *Recaudo* con el sentido de «recado», que era la forma habitual de la palabra ya en el siglo XVIII, tal y como la recoge el *Dicc. de Autor.*
²⁹³ Véase la n. 169.

que es moço, a la fee[294], chapado[295]
y para hazer y dezir.
       Yo, si viesse[296] algún ruido[297]
cuéntame por desmayada.   340
Tiemblo una espada envainada;
desnuda, pierdo el sentido[298].

CASILDA.   No hay en casa que temer;
que duermen en el portal
los segadores.   345

INÉS.   Tu mal
soledad debe de ser,
   y temes que estos desvelos
te quiten el sueño.

CASILDA.   Aciertas;
que los desvelos son puertas
para que passen los zelos   350
   desde el amor al temor;
y en començando a temer,
no hay más dormir que poner
con zelos remedio a amor.

INÉS.   Pues, ¿qué ocasión puede darte   355
en Toledo?

CASILDA.   Tú, ¿no ves
que zelos es aire, Inés,
que vienen de cualquier parte?

INÉS[299].   Que de Medina venía
oí yo siempre cantar[300].   360

_____

[294] M contiene el error de *ques es moço;* además, escribe, como es habitual, *fee.* En cambio, unos versos más arriba (Acto II, v. 330) lo hizo con una sola *e,* lo cual es excepcional en esta edición. También P escribe *fee,* mientras que B dice *fe.*

[295] Véase la n. 39.

[296] En la ed. de Hartzenbusch se escribe *si hubiese.*

[297] *Rüido* con diéresis por necesidades métricas.

[298] Inés pondera su temor ante una simple espada, aunque ésta esté envainada.

[299] Las eds. de 1614 omiten Inés.

[300] Las mujeres de Medina del Campo gozaban de especial renombre por su belleza. Correas recoge el siguiente refrán: «Cuando vieres mujer medinesa, mete tu marido detrás de la artesa».

118

CASILDA[301].	Y Toledo, ¿no es lugar
	de adonde venir podría?
INÉS.	¡Grandes hermosuras tiene!
CASILDA.	Ahora bien, vente a cenar.

[ESCENA VI]

(LLORENTE[302] y MENDO, *segadores.*) *[Dichos.]*

LLORENTE.	A quien ha de madrugar	365
	dormir luego[303] le conviene.	
MENDO.	Digo que muy justo es.	
	Los ranchos[304] pueden hazerse.	
CASILDA.	Ya vienen a recogerse	
	los segadores, Inés.	370
INÉS.	Pues vamos, y a Sancho[305] avisa	
	el cuidado de la huerta.	
	(Vanse [CASILDA e INÉS].)	
LLORENTE.	Muesama[306] acude a la puerta.	
	Andará dándonos prisa	
	por no estar aquí su dueño.	375

---

301 B omite Casilda.

302 B escribe Lorente. Siempre que habla este personaje, en B se le anota como *LO*. Ya aparecía así en las *figuras del segundo acto*.

303 *Luego*, enseguida.

304 *Ranchos:* «por translación se llama la unión familiar de algunas personas, separadas de otras, y que se juntan a hablar o tratar alguna materia o negocio particular» *(Dicc. de Autor.).* Aquí significa la ordenación de los trastos de los labradores con vistas a dormir sobre ellos.

305 Entre las *figuras dramáticas del segundo acto* no aparecía este Sancho; no obstante, recuérdese que en las eds. de 1614 se ponía en boca de *San[cho]* los vv. 272-274 del primer acto. Véase la n. 87.

306 Véase la n. 78.

119

[ESCENA VII]

(Entren BARTOLO *y* CHAPARRO, *segadores.)*
[Dichos.]

BARTOLO.	Al alba he de haber segado
	todo el repecho del prado.
CHAPARRO.	Si diere licencia el sueño...
	Buenas noches os dé Dios,
	Mendo y Llorente[307].

MENDO.   El sosiego   380
no será mucho, si luego[308]
habemos de andar los dos
    con las hozes a destajo
aquí manada[309], aquí corte.

CHAPARRO.   Pardiez, Mendo, cuando importe   385
bien luce el justo trabajo.
    Sentaos, y, antes de dormir,
o cantemos o contemos
algo de nuevo, y podremos
en esto nos divertir.   390

BARTOLO.   ¿Tan dormido, estáis, Llorente?[310].

LLORENTE.   Pardiez, Bartol, que quisiera
que en un año amaneciera
cuatro vezes solamente.

---

[307] B escribe *Lorente*.

[308] Véase la n. 303.

[309] *Manada:* «la porción de hierba, alcacer, trigo, u otra cosa que se puede coger con la mano» *(Dicc. de Autor.)*.

[310] Véase la n. 307.

[ESCENA VIII]

(HELIPE[311] y LUXÁN, *segadores.) [Dichos.]*

HELIPE.	¿Hay para todos lugar?	395
MENDO.	¡Oh Helipe! Bien venido.	
LUXÁN.	Y yo, si lugar os pido,	
	¿podréle por dicha hallar?	
CHAPARRO.	No faltará para vos.	
	Aconchaos[312] junto a la puerta.	400
BARTOLO.	Cantar algo se concierta[313].	
CHAPARRO.	Y aun contar algo, por Dios.	
LUXÁN.	Quien supiere un lindo cuento,	
	póngale luego en el corro.	
CHAPARRO.	De mi capote me ahorro[314],	405
	y para escuchar me assiento.	
LUXÁN.	Va primero de canción,	
	y luego diré una historia	
	que me[315] viene a la memoria.	
MENDO.	Cantad.	
LLORENTE.	Ya comienço el son.	410
	(Canten con las guitarras.)	
CANTAN.	Trébole[316], ¡ay Jesús, cómo güele!	
	Trébole, ¡ay Jesús, qué olor!	
	Trébole de la casada,	
	que a su esposo quiere bien;	

---

[311] El cambio de F por H es un rasgo lingüístico que sirve para caracterizar el habla de los campesinos.

[312] *Aconchar:* «componer o aderezar una cosa» *(Dicc. de Autor.).* Este italianismo tiene aquí el significado de «acomodarse».

[313] En la ed. de Z. Vicente se lee: *cantar algo que concierta.*

[314] *Ahorro,* aforro. El *Dicc. de Autor.* define *aforrarse* como «abrigarse y arroparse».

[315] En P, *que viene.*

[316] Como ya se dijo en la Introducción, *Peribáñez* resulta una obra muy rica en canciones populares. La presente es un *trébole.* Estas canciones constan de un estribillo fijo y de unas letras variables.

de la donzella también,   415
entre paredes guardada,
que, fácilmente engañada,
sigue su primero amor.

Trébole, ¡ay Jesús, cómo güele!
Trébole, ¡ay Jesús, qué olor!   420

Trébole de la soltera,
que tantos amores muda;
trébole de la viuda[317],
que otra vez casarse espera,
tocas blancas[318] por defuera   425
y el faldellín[319] de color.

Trébole, ¡ay Jesús, cómo güele!
Trébole, ¡ay Jesús, qué olor!

LUXÁN.   Parece que se han dormido.
                     No tenéis ya que cantar.   430
LLORENTE.   Yo me quiero recostar,
                     aunque no en trébol florido.
LUXÁN.   [Aparte.]
                     (¿Qué me detengo? Ya están
                     los segadores durmiendo.
                     Noche, este amor te encomiendo;   435
                     prisa los silbos[320] me dan.
                         La puerta le quiero abrir.)
                     [Abre la puerta.]
                     ¿Eres tú, señor?

---

317 *Vïuda* con diéresis por necesidades métricas.
318 *Tocas blancas* son las que visten las viudas.
319 *Faldellín*: «ropa interior que traen las mujeres de la cintura abajo, tiene la abertura por delante» *(Dicc. de Autor.)*.
320 *Silbos*. Luján se refiere a los silbidos que emite el Comendador como señal de que ya está al otro lado de la puerta.

[ESCENA IX]

(Entren El Comendador *y* Leonardo.) [Luxán.]

Comendador.	Yo soy.
Luxán.	Entra presto.
Comendador.	Dentro estoy.
Luxán.	Ya comiençan a dormir. 440
	Seguro por ellos passa;
	que un carro puede passar
	sin que puedan despertar.
Comendador.	Luxán, yo no sé la casa.
	Al aposento me guía. 445
Luxán.	Quédese Leonardo aquí.
Leonardo.	Que me plaze.
Luxán.	Ven tras mí.
Comendador.	¡Oh amor! ¡Oh fortuna mía!
	¡Dame próspero sucesso!

[Entranse El Comendador *y* Luxán;
Leonardo *se queda detrás de una puerta.]*

[ESCENA X]

[Segadores.]

Llorente.	¡Hola, Mendo!
Mendo.	¿Qué hay, Llorente? 450
Llorente.	En casa anda gente.
Mendo.	¿Gente?
	Que lo temí te confiesso.
	¿Assí se guarda el decoro
	a Peribáñez?
Llorente.	No sé.
	Sé que no es gente de a pie[321]. 455

---

[321] *Gente de a pie:* villanos. La *gente de a caballo* son los caballeros.

MENDO.	¿Cómo?
LLORENTE.	Trae capa con oro.
MENDO.	¿Con oro? Mátenme aquí
	si no es el Comendador.
LLORENTE.	Demos vozes.
MENDO.	¿No es mejor
	callar?
LLORENTE.	Sospecho que sí. 460
	Pero ¿de qué sabes que es
	el Comendador?
MENDO.	No hubiera
	en Ocaña quien pusiera
	tan atrevidos los pies,
	ni aun el pensamiento, aquí. 465
LLORENTE.	Esto es casar con mujer
	hermosa.
MENDO.	¿No puede ser
	que ella esté sin culpa?
LLORENTE.	Sí.
	Ya vuelven. Hazte dormido.

[ESCENA XI]

(EL COMENDADOR y LUXÁN.) *[Dichos.]*

COMENDADOR.	*[En voz baja.]*
	¡Ce! ¡Leonardo!
LEONARDO.	¿Qué hay, señor? 470
COMENDADOR.	Perdí la ocasión mejor
	que pudiera haber tenido.
LEONARDO.	¿Cómo?
COMENDADOR.	Ha cerrado, y muy bien,
	el aposento esta fiera.
LEONARDO.	Llama.
COMENDADOR.	¡Si gente no hubiera!... 475
	Mas despertarán también.
LEONARDO.	No harán, que son segadores;
	y el vino y cansancio son

	candados de la razón	
	y sentidos exteriores.	480
	Pero escucha: que han abierto	
	la ventana del portal.	
COMENDADOR.	Todo me sucede mal.	
LEONARDO.	¿Si es ella?	
COMENDADOR.	Tenlo por cierto.	

[ESCENA XII]

(A la ventana con un rebozo[322]*, CASILDA.) [Dichos.]*

CASILDA.	¿Es hora de madrugar,	485
	amigos?	
COMENDADOR.	Señora mía,	
	ya se va acercando el día,	
	y es tiempo de ir a segar.	
	Demás que, saliendo vos,	
	sale el sol, y es tarde ya.	490
	Lástima a todos nos da	
	de veros sola, por Dios.	
	No os quiere bien vuestro esposo	
	pues a Toledo se fue,	
	y os dexa una noche. A fe,	495
	que si fuera tan dichoso	
	el Comendador de Ocaña	
	—que sé yo que os quiere bien,	
	aunque le mostráis desdén	
	y sois con él tan extraña[323]—,	500
	que no os dexara, aunque el Rey	
	por sus cartas le llamara	
	que dexar sola essa cara	
	nunca fue de amantes ley.	

---

[322] *Rebozo. El Dicc. de Autor.* remite a *embozo* y escribe: «la cosa con que uno se cubre y encubre el rostro: como la falda de la capa, una banda y otro cualquier velo o mascarilla para tapar la cara».

[323] Véase la n. 271.

CASILDA.   Labrador de lexas[324] tierras[325],   505
que has venido a nuesa[326] villa,
convidado del agosto,
¿quién te dio tanta malicia?
Ponte tu tosca antipara[327]
del hombro el gabán[328] derriba,   510
la hoz menuda en el cuello,
los dediles[329] en la cinta.
Madruga al salir del alba,
mira que te[330] llama el día;
ata las manadas[331] secas,   515
sin maltratar las espigas.
Cuando salgan las estrellas,
a tu descanso camina,
y no te metas en cosas
de que algún mal se te siga.   520
El Comendador de Ocaña
servirá dama de estima,
no con sayuelo[332] de grana[333]

---

[324] *Lexas,* lejanas.
[325] A continuación Lope pone en boca de Casilda un extraordinario romance de sabor tradicional, creado sobre modelos populares como aquel que empieza «Caballero de lejas tierras» (cfr. *Romancero,* BAE, X, pág. 175). El contenido de los versos es el tema esencial de la comedia: el rechazo del poderoso y la preferencia del humilde.
[326] Véase la n. 78.
[327] *Antipara:* «cierto género de medias calzas, o polainas, que cubren las piernas y los pies sólo por la parte de adelante» *(Dicc. de Autor.).* La disposición de esta prenda la hacía idónea para las labores del campo, ya que protegía las piernas de los labradores de la vegetación.
[328] *Gabán:* «cierto género de capote con capilla y mangas, hecho de paño grueso y basto, de que usa ordinariamente la gente del campo para defenderse de las inclemencias del tiempo» *(Dicc. de Autor.).*
[329] *Dediles:* «se llama también el dedal de cuero, u de otra materia, de que usan los segadores y otros varios oficiales, puestos en los dedos, para que no se maltraten cuando siegan o ejecutan las demás maniobras» *(Dicc. de Autor.).*
[330] En P, *mira que llama el día.*
[331] Véase la n. 309.
[332] Véase la n. 163.
[333] Véase la n. 168.

ni con saya[334] de palmilla[335].
Copete[336] traerá rizado,   525
gorguera[337] de holanda fina,
no cofia de pinos[338] tosca,
y toca de argentería.
En coche o silla de seda
los disantos[339] irá a missa;   530
no vendrá en carro de estacas
de los campos a las viñas.
Dirále en cartas discretas
requiebros a maravilla,
no labradores desdenes,   535
envueltos en señorías.
Olerále a guantes de ámbar,
a perfumes y pastillas[340];
no a tomillo ni cantueso[341],
poleo y zarzas floridas.   540
Y cuando el Comendador
me amasse[342] como a su vida,
y se diessen virtud y honra
por amorosas[343] mentiras,
más quiero yo a Peribáñez   545

---

[334] *Saya:* «ropa exterior con pliegues por la parte de arriba que visten las mujeres, y baja desde la cintura a los pies» *(Dicc. de Autor.)*.

[335] Véase la n. 167.

[336] *Copete:* «cierta porción de pelo, que se levanta encima de la frente, más alto que los demás, de figura redonda o prolongada, que unas veces es natural y otras postizo» *(Dicc. de Autor.)*.

[337] *Gorguera:* «un género de adorno de lienzo plegado y alechugado, que se ponía al cuello» *(Dicc. de Autor.)*.

[338] *Cofia de pinos.* Z. Vicente en su ed. cit. lo anota con estas palabras: «Adorno en el peinado».

[339] *Los disantos,* los días santos, los días festivos.

[340] *Pastillas* queda definido por Covarrubias como «pasta pequeña: suele ser de olor y perfume, y también de azúcar con otras cosas, y éstas llaman pastilla de boca, porque se trae en la boca para disimular el mal olor de ella».

[341] *Cantueso:* «planta que produce los ramos sutiles, y la cima como la del tomillo, aunque más largas las hojas» *(Dicc. de Autor.)*.

[342] En P, *amase*.

[343] En P, por error, *amorosa mentiras*.

con su capa la pardilla[344],
que al Comendador de Ocaña
con la suya guarnecida[345].
Más precio verle venir
en su yegua la tordilla[346],   550
la barba llena de escarcha
y de nieve la camisa,
la ballesta atravessada,
y de la arzón[347] de la silla
dos perdizes o conejos,   555
y el podenco de traílla[348],
que ver al Comendador
con gorra de seda rica,
y cubiertos de diamantes
los brahones[349] y capilla;   560
que más devoción me causa
la cruz de piedra en la ermita,
que la roja de Santiago[350]
en su bordada ropilla[351].

---

[344] *Pardilla*: «adjetivo que se aplica al paño más tosco, grosero y basto que se hace del color pardo y sin tinte, de que viste la gente humilde y pobre» *(Dicc. de Autor.)*.

[345] *Guarnecida*. El *Dicc. de Autor.* define una de las acepciones de *guarnecer* como «adornar los vestidos, ropas, colgaduras y otras cosas, por las extremidades y medios, con algo que les dé hermosura y gracia: como puntas, galones, fluecos y otras cosas».

[346] *Tordilla*: «lo que tiene el color del tordo. Aplícase a los caballos y otras bestias mulares, que tienen el pelo de este color» *(Dicc. de Autor.)*.

[347] En B, *arçón*. *Arzón*: «el fuste trasero y delantero de la silla de la caballería que sirven para afianzar al jinete, para que no se vaya adelante ni atrás» *(Dicc. de Autor.)*.

[348] *Traílla*. El *Dicc. de Autor.* define una de las acepciones de *trahílla* con las siguientes palabras: «La cuerda, o correa, en que se lleva el perro atado a las cacerías, para soltarle a su tiempo».

[349] *Brahones. Brahón*, «una como rosca, o pestaña de paño, u otra tela, hecha de diferentes pliegues y dobleces, en forma redonda, que se pega en la ropilla, o sayo, sobre el nacimiento de los brazos, junto a los hombros» *(Dicc. de Autor.)*.

[350] B escribe *Sanctiago*.

[351] *Ropilla*: «vestidura corta con mangas y brahones, de quienes penden regularmente otras mangas sueltas, o perdidas, y se viste ajustadamente al medio cuerpo, sobre el jubón» *(Dicc. de Autor.)*. Las palabras de Casilda se

128

	Vete, pues, el segador[352],	565
	mala fuesse la tu dicha[353];	
	que si Peribáñez viene,	
	no verás la luz del día.	
COMENDADOR.	Quedo[354], señora... ¡Señora...!	
	Casilda, amores, Casilda,	570
	yo soy el Comendador,	
	abridme, por vuestra vida.	
	Mirad que tengo que daros	
	dos sartas de perlas finas,	
	y una cadena esmaltada	575
	de más peso que la mía.	
CASILDA.	Segadores de mi casa,	
	no durmáis, que con su risa	
	os está llamando el alba.	
	Ea, relinchos[355] y grita[356];	580
	que al que a la tarde viniere	
	con más manadas[357] cogidas,	
	le mando[358] el sombrero grande	
	con que va Pedro a las viñas.	
	(Quitase de la ventana.)	
MENDO.	Llorente, muesa[359] ama llama.	585
LUXÁN.	*[Aparte a su amo.]*	
	Huye, señor, huye aprisa;	
	que te ha de ver esta gente.	

---

refieren a la cruz roja que lleva bordada el Comendador como miembro de la Orden de Santiago.

[352] *El segador.* El uso del vocativo precedido del artículo es muy frecuente en el *Romancero.*

[353] *La tu dicha:* la lengua del *Romancero* conserva ciertos arcaísmos, como es el de la presencia del artículo ante el posesivo, para dotar al poema de ese sabor de antigüedad característico de toda la épica. Cfr. R. Lapesa, «La lengua de la poesía épica en los cantares de gesta y en el Romancero viejo», en *De la Edad Media a nuestros días*, Madrid, Gredos, 1971, págs. 9-28.

[354] Véase la n. 235.

[355] Véase la n. 34.

[356] *Grita:* «confusión de voces altas y desentonadas» *(Dicc. de Autor.).*

[357] Véase la n. 309.

[358] *Mando.* El verbo *mandar* se usa aquí en la acepción que el *Dicc. de Autor.* recoge con esta definición: «ofrecer y prometer alguna cosa».

[359] Véase la n. 78.

COMENDADOR.　　*[Aparte.]*
　　　　　　　¡Ah, cruel[360] sierpe de Libia!
　　　　　　　Pues aunque gaste mi hazienda,
　　　　　　　mi honor, mi sangre y mi vida,　　　　590
　　　　　　　he de rendir tus desdenes,
　　　　　　　tengo de vencer tus iras.
　　　　　　　(Vase el COMENDADOR, *[*LUXÁN y LEONARDO.*])*

BARTOLO[361].　　Yérguete zedo[362], Chaparro;
　　　　　　　que viene a gran prisa el día.

CHAPARRO.　　Ea, Helipe[363]; que es muy tarde.　　595

HELIPE.　　　Pardiez, Bartol, que se miran
　　　　　　　todos los montes bañados
　　　　　　　de blanca luz por encima.

LLORENTE.　　Seguidme todos, amigos,
　　　　　　　porque muesama[364] no diga　　　　600
　　　　　　　que porque muesamo[365] falta
　　　　　　　andan las hozes baldías.
　　　　　　　(Éntrense todos relinchando[366].)

[ESCENA XIII]

[Sala en casa de un pintor de Toledo.]

(Entren PERIBÁÑEZ *y el* PINTOR *y* ANTÓN.*)*

PERIBÁÑEZ.　　　Entre las tablas que vi
　　　　　　　de devoción o retratos,
　　　　　　　adonde menos ingratos　　　　605
　　　　　　　los pinzeles conocí,

---

[360] *Crüel* con diéresis por necesidades métricas.
[361] Las eds. de 1614 escriben erróneamente Ber[tolo].
[362] *Zedo:* «lo mismo que luego, presto, al instante» *(Dicc. de Autor.).*
[363] Ruralismo consistente en el cambio de F en H.
[364] Véase la n. 78.
[365] Véase la n. 78.
[366] *Relinchar:* «vale grita en regocijo y fiesta» *(Dicc. de Autor.).*

130

	una he visto que me agrada,	
	o porque tiene primor,	
	o porque soy labrador	
	y lo es también la pintada.	610
	Y pues ya se concertó	
	el adereço del santo,	
	reciba yo favor tanto,	
	que vuelva a mirarla yo.	
PINTOR.	Vos tenéis mucha razón;	615
	que es bella la labradora.	
PERIBÁÑEZ[367].	Quitalda[368] del clavo ahora;	
	que quiero enseñarla a Antón.	
ANTÓN.	Ya la vi; mas, si queréis,	
	también holgaré de vella.	620
PERIBÁÑEZ.	Id, por mi vida, por ella.	
PINTOR.	Yo voy.	
PERIBÁÑEZ.	Un ángel veréis.	

[ESCENA XIV]

[Dichos menos el PINTOR.]

ANTÓN.	Bien sé yo por qué miráis	
	la villana con cuidado.	
PERIBÁÑEZ.	Sólo el traje me le ha dado;	625
	que, en el gusto, os engañáis.	
ANTÓN.	Pienso que os ha parecido	
	que parece a vuestra esposa.	
PERIBÁÑEZ.	¿Es Casilda tan hermosa?	
ANTÓN.	Pedro, vos sois su marido:	630
	a vos os está más bien	
	alaballa, que no a mí.	

---

[367] B escribe *por* error Er[ibáñez].
[368] *Quitalda*. Metátesis, *quitadla*.

[ESCENA XV]

(El PINTOR, *con el retrato de* CASILDA, *grande.)*
[Dichos.]

PINTOR.	La labradora está aquí.
PERIBÁÑEZ.	*[Aparte.]*
	(Y mi deshonra también.)
PINTOR.	¿Qué os parece?
PERIBÁÑEZ.	Que es notable. 635
	¿No os agrada, Antón?
ANTÓN.	Es cosa
	a vuestros ojos hermosa,
	y a los del mundo admirable.
PERIBÁÑEZ	Id, Antón, a la possada[369],
	y ensillad mientras que voy. 640
ANTÓN.	*[Aparte.]*
	(Puesto que[370] inorante[371] soy,
	Casilda es la retratada,
	y el pobre de Pedro está
	abrasándose de zelos.)
	Adiós.
	(Váyase ANTÓN.)
PERIBÁÑEZ.	No han hecho los cielos 645
	cosa, señor, como ésta[372].
	¡Bellos ojos! ¡Linda boca!
	¿De dónde es esta mujer?
PINTOR.	No acertarla a conocer
	a imaginar me provoca 650
	que no está bien retratada,
	porque donde vos nació.

---

369 B escribe *posada*.
370 *Puesto que:* aunque.
371 *Inorante:* otro caso de simplificación del grupo consonántico culto; sin embargo, Z. Vicente transcribe *ignorante*.
372 La redondilla está mal construida pues *ésta* no puede rimar con *está*.

PERIBÁÑEZ.	¿En Ocaña?	
PINTOR.	Sí.	
PERIBÁÑEZ.	Pues yo	
	conozco una desposada	
	a quien algo se parece.	655
PINTOR.	Yo no sé quién es; mas sé	
	que a hurto la retraté,	
	no como agora se ofrece,	
	mas en un naipe[373]. De allí	
	a este lienço la he passado.	660
PERIBÁÑEZ.	Ya sé quién la ha retratado.	
	Si acierto, ¿diréislo?	
PINTOR.	Sí.	
PERIBÁÑEZ.	El Comendador de Ocaña.	
PINTOR.	Por saber que ella no sabe	
	el amor de hombre tan grave	665
	que es de lo mejor de España,	
	me atrevo a dezir que es él.	
PERIBÁÑEZ.	Luego, ¿ella no es sabidora?	
PINTOR.	Como vos antes de agora;	
	antes, por ser tan fïel[374],	670
	tanto trabajo costó	
	el poderla retratar.	
PERIBÁÑEZ.	¿Queréismela a mí fiar,	
	y llevarésela yo?	
PINTOR.	No me han pagado el dinero.	675
PERIBÁÑEZ.	Yo os daré todo el valor.	
PINTOR.	Temo que el Comendador	
	se enoje, y mañana espero	
	un lacayo suyo aquí.	
PERIBÁÑEZ.	Pues ¿sábelo esse lacayo?	680
PINTOR.	Anda veloz como un rayo	
	por rendirla.	
PERIBÁÑEZ.	Ayer le vi,	
	y le quise conocer.	

---

[373] Véase la n. 236.
[374] *Fïel* con diéresis por necesidades métricas.

PINTOR.	¿Mandáis otra cosa?
PERIBÁÑEZ.	En tanto

que nos reparéis el santo,   685
tengo de venir a ver
   mil vezes este retrato.

PINTOR.   Como fuéredes[375] servido.
Adiós.

(Vase el PINTOR.)

[ESCENA XVI]

PERIBÁÑEZ[376].
      ¿Qué he visto y oído,
cielo airado, tiempo ingrato?[377].   690
Mas si deste falso trato
no es cómplice mi mujer,
¿cómo doy a conocer
mi pensamiento ofendido?
Porque zelos de marido   695
no se han de dar a entender.
      Basta que el Comendador
a mi mujer solicita;
basta que el honor me quita,
debiéndome dar honor[378].   700
Soy vassallo, es mi señor,
vivo en su amparo y defensa;
si en quitarme el honor piensa

---

[375] *Fuéredes.* Forma arcaica: *fueritis > fuéredes > fueréis.*

[376] M escribe Er[íbañez].

[377] Estamos en el momento más importante de la comedia con relación al honor. Peribáñez analiza seguidamente todo su problema y estudia las posibles soluciones que se le ofrecen. Pondera las dimensiones de la deshonra mediante un lenguaje cortesano (cfr. Wilson, art. citado, pág. 72) y con una estructuración del pensamiento semejante a la que emplean los personajes de Calderón.

[378] En estos versos se pasa revista a las funciones sociales del Comendador. Peribáñez observa cómo éstas no son desempeñadas por su señor, por lo que se hace acreedor del castigo en cuanto pieza contraria al sistema.

quitaréle yo la vida:
que la ofensa acometida   705
ya tiene fuerça de ofensa[379].

    Erré en casarme, pensando
que era una hermosa mujer
toda la vida un plazer
que estaba el alma passando;   710
pues no imaginé que, cuando
la riqueza poderosa
me la mirara envidiosa,
la codiciara también.
¡Mal haya el humilde, amén,   715
que busca mujer hermosa!

    Don Fadrique me retrata
a mi mujer; luego ya
haziendo debuxo[380] está
contra el honor, que me mata.   720
Si pintada me maltrata
la honra, es cosa forçosa
que venga a estar peligrosa
la verdadera también.
¡Mal haya el humilde, amén,   725
que busca mujer hermosa!

    Mal lo miró mi humildad
en buscar tanta hermosura;
mas la virtud assegura
la mayor dificultad.   730
Retirarme a mi heredad
es dar puerta vergonçosa
a quien cuanto escucha glossa[381],
y trueca en mal todo el bien...

---

[379] El honor se perdía no ya con la consumación del adulterio, sino con la simple intención de alcanzarlo.

[380] Otro caso de alteración del timbre vocálico. *Dibujo*.

[381] B escribe *glosa*. *Glosar*: «interpretar, o tomar a mala parte y con intención siniestra alguna palabra o proposición» (*Dicc. de Autor.*). Covarrubias, por su parte, dice: «Vulgarmente es darles otro sentido del que suena y a veces del que pretendió el que las dijo».

¡Mal haya el humilde, amén,   735
que busca mujer hermosa!
    Pues también salir de Ocaña
es el mismo inconveniente,
y mi hazienda no consiente
que viva por tierra extraña.   740
Cuanto me ayuda me daña;
pero hablaré con mi esposa,
aunque es ocasión odiosa
pedirle zelos también.
¡Mal haya el humilde, amén,   745
que busca mujer hermosa!
(Vase.)

[ESCENA XVII]

[Sala en casa de EL COMENDADOR.*]*

(Entren LEONARDO *y* EL COMENDADOR.*)*

COMENDADOR.   Por esta carta, como digo, manda
su majestad, Leonardo, que le envíe
de Ocaña y de su tierra alguna gente.
LEONARDO.   Y, ¿qué piensas hazer?
COMENDADOR.   Que se echen
                                    [bandos   750
y que se alisten de valientes moços
hasta dozientos hombres, repartidos
en dos luzidas compañías, ciento
de gente labradora, y ciento hidalgos.
LEONARDO.   Y, ¿no será mejor hidalgos todos?   755
COMENDADOR.   No caminas al paso de mi intento,
y assí, vas lexos de mi pensamiento.
Destos cien labradores hazer quiero
cabeça y capitán a Peribáñez,
y con esta invención tenelle ausente.   760
LEONARDO.   ¡Extrañas cosas piensan los amantes!

136

COMENDADOR.   Amor es guerra, y cuanto piensa, ardides.
               ¿Si habrá venido ya?

LEONARDO.   Luxán me dixo
               que a comer le esperaban, y que estaba
               Casilda llena de congoja y miedo.   765
               Supe después, de Inés, que no diría
               cosa de lo passado aquella noche,
               y que, de acuerdo de las dos, pensaba
               dissimular, por no causarle pena,
               a que, viéndola triste y afligida,   770
               no se atreviesse a declarar su pecho
               lo que después para servirte haría.

COMENDADOR.   ¡Rigurosa mujer! ¡Maldiga el cielo
               el punto en que caí, pues no he podido
               desde entonces, Leonardo, levantarme 775
               de los umbrales de su puerta!

LEONARDO.   Calla;
               que más fuerte era Troya, y la conquista
               derribó sus murallas por el suelo.
               Son estas labradoras encogidas[382],
               y, por hallarse indignas, las más vezes 780
               niegan, señor, lo mismo que dessean.
               Ausenta a su marido honradamente;
               que tú verás el fin de tu desseo.

COMENDADOR.   Quiéralo mi ventura; que te juro
               que, habiendo sido en tantas
                        [ocasiones   785
               tan animoso como sabe el mundo,
               en ésta voy con un temor notable.

LEONARDO.   Bueno será saber si Pedro viene.

COMENDADOR.   Parte, Leonardo, y de tu Inés te informa[383],
               sin que passes la calle ni levantes   790
               los ojos a ventana o puerta suya.

---

[382] *Encogidas:* «metafóricamente vale corto de ánimo, apocado y sin aliento» *(Dicc. de Autor.).*

[383] Se trata de una forma de imperativo. El pronombre va antepuesto de acuerdo con las normas vigentes durante el Siglo de Oro. Véase el mismo empleo en los versos 1013 del Acto I y 445 del Acto II.

LEONARDO. Excesso es ya tan gran desconfiança,
porque ninguno amó sin esperança.
(Vase LEONARDO.*)*

[ESCENA XVIII]

[EL COMENDADOR.]

COMENDADOR. Cuentan de un rey a un árbol adoraba[384],
y que un mancebo a un mármol[385]
[assistía, 795
a quien, sin dividirse noche y día,
sus amores y quexas le contaba.
Pero el que un tronco y una piedra
[amaba
más esperança de su bien tenía,
pues, en fin, acercársele podría[386], 800
y a hurto de la gente le abraçaba.
¡Mísero yo, que adoro en[387] otro muro
colgada aquella ingrata y verde hiedra,
cuya dureza enternecer procuro!

---

[384] El Comendador recita un bello soneto encareciendo su triste situación de amante no correspondido. Para ello compara su dolor al de Jerjes («un rey que a un árbol adoraba») y al de un muchacho del que se cuenta la siguiente historia en la *Silva de varia lección* de Pero Mexía: «Era en la ciudad de Atenas vn mancebo de honesto Image... el qual como muchas vezes viese vna estatua de mármol, que en Atenas auía en vn lugar público, de excelente talle y hechura, contemplando mucho en la perfección de la obra, vino a aficionarse y cautiuarse della, de manera que no se podía apartar del lugar donde estaua, abrazándola...» (Bibliófilos Españoles, LVIII, págs. 77-78, cit. por Z. Vicente en su ed., pág. 83).

Por otra parte, Lope de Vega recomienda el empleo del soneto para las situaciones dramáticas en las que el personaje se encuentra en espera de algo: «El soneto está bien en los que aguardan» (*Arte nuevo*, v. 308). En esta ocasión, el uso del metro es normativo, dado que el Comendador se encuentra en una espera de tipo espiritual, confiando en que ella cederá al fin.

[385] Las eds. de 1614 escriben a un *árbol assistía*. Corrijo, siguiendo a Hartzenbusch, *mármol*.

[386] Z. Vicente transcribe *podía*.

[387] Las eds. de 1614 dicen *un otro muro*. Sigo la corrección de Hartzenbusch.

Tal es el fin que mi esperança
                              [medra: 805
mas, pues que de morir estoy seguro,
¡plega al amor que te convierta en piedra!
(Vase.)

[ESCENA XIX]

[Campo.]

(Entren[388] PERIBÁÑEZ y ANTÓN.)

PERIBÁÑEZ.   Vos os podéis ir, Antón,
                 a vuestra casa; que es justo.
ANTÓN.   Y vos, ¿no fuera razón?   810
PERIBÁÑEZ.   Ver mis segadores gusto,
                 pues llego a buena ocasión;
                    que la haza[389] cae aquí[390].
ANTÓN.   ¿Y no fuera mejor haza
                 vuestra Casilda?
PERIBÁÑEZ.   Es ansí;   815
                 pero quiero darles traça
                 de lo que han de hazer, por mí.
                    Id a ver[391] vuesa[392] mujer,
                 y a la mía assí de passo
                 dezid que me quedo a ver   820
                 nuestra hazienda.

---

[388] Sigo la lectura de P, ya que tanto M como B escriben erróneamente *Entre*.

[389] *Haza*: «propiamente se llama así el campo donde se ha segado trigo u otra semilla, y que está ocupado de las haces y gavillas que han hecho los segadores; y también se llama así una cierta porción de tierra, aunque no esté sembrada» *(Dicc. de Autor.)*.

[390] Ante la ausencia de unos decorados suficientemente explícitos del ambiente en que se desarrolla la acción, el teatro barroco acude a un tipo de acotación incorporada al diálogo, según la cual, las propias palabras de los personajes indican el lugar en que se encuentran éstos.

[391] Complemento directo personal sin preposición *a*.

[392] Véase la n. 78.

ANTÓN.	*[Aparte.]*
	(¡Extraño caso!
	No quiero darle a entender
	que entiendo su pensamiento.)
	Quedad[393] con Dios.
PERIBÁÑEZ.	Él os guarde.

(Vase ANTÓN.)[394]

[ESCENA XX]

[PERIBÁÑEZ.]

PERIBÁÑEZ.	Tanta es la afrenta que siento	825
	que sólo por entrar tarde	
	hize aqueste fingimiento.	
	¡Triste yo! Si no es culpada	
	Casilda, ¿por qué rehúyo	
	el verla? ¡Ay, mi prenda amada!	830
	Para tu gracia atribuyo	
	mi fortuna desgraciada.	
	Si tan hermosa no fueras,	
	claro está que no le dieras	
	al señor Comendador	835
	causa de tan loco amor[395].	
	Éstos son mi trigo y eras[396].	
	¡Con qué diversa alegría,	
	oh campos, pensé[397] miraros	
	cuando contento vivía!	840
	Porque viniendo a sembraros,	
	otra esperança tenía.	

---

[393] M por errata dice *uedad*.

[394] Las eds. de 1614 traen la acotación antes que la segunda mitad del v. 824.

[395] Palabras en las que se disculpa un tanto la conducta del Comendador. Éste, aunque de naturaleza bondadosa, ha sido enajenado por la hermosura de Casilda.

[396] Véase la n. 390.

[397] B por error dice *pensó*.

                    Con alegre coraçón
                    pensé de vuestras espigas
                    henchir mis trojes[398], que son   845
                    agora eternas fatigas
                    de mi perdida opinión[399].
                        Mas quiero disimular; *(vozes)*
                    que ya sus relinchos[400] siento.
                    Oírlos quiero cantar,   850
                    porque en ajeno instrumento
                    comiença el alma a llorar.
                    (Dentro grita[401], como que siegan.)

                    [ESCENA XXI]

            [PERIBÁÑEZ. *Dentro,* SEGADORES.]

MENDO.   Date más priesa[402], Bartol;
                    mira que la noche baja[403],
                    y se va a[404] poner el sol.   855
BARTOLO[405].   Bien cena quien bien trabaja
                    dize el refrán español.
LLORENTE[406].   Échote una pulla[407], Andrés:
                    que te bebas media azumbre[408].

---

[398] Véase la n. 145. Allí se escribía con el signo *x,* mientras que aquí se usa la *j.*

[399] *Opinión,* honra.

[400] Véase la n. 34.

[401] Véase la n. 356.

[402] Sigo la lectura de M. B escribe *prisa* y P, *priessa.*

[403] En P se escribe *baxa.*

[404] La preposición falta en M y B. Sigo la lectura de P.

[405] M y P dicen por error Ber[tolo] en lugar de Bar[tolo].

[406] M y P dicen Llo[rente]. (B, como es habitual, Lo[rente].) Sin embargo, desde Hartzenbusch las eds. modernas escriben Un segador.

[407] *Pulla:* «dicho obsceno o sucio de que comúnmente usan los caminantes, cuando se encuentran unos a otros, o a los labradores que están cultivando los campos, especialmente en los tiempos de siega y vendimia» *(Dicc. de Autor.). Echar pullas:* «decirse uno a otro palabras de quemazón o chocarrería» (Covarrubias).

[408] *Azumbre:* «cierta medida de las cosas líquidas, como agua, vino, vinagre, o leche, que es la octava parte de una arroba» *(Dicc. de Autor.).*

CHAPARRO[409].	Échame otras dos, Ginés.	860
PERIBÁÑEZ.	Todo me da pesadumbre,	
	todo mi desdicha es.	
MENDO.	Canta, Llorente, el cantar	
	de la mujer de muesamo[410].	
PERIBÁÑEZ.	¿Qué tengo más que esperar?	865
	La vida, cielos, desamo.	
	¿Quién me la quiere quitar?	

(Canta un SEGADOR.)

La mujer de Peribáñez
hermosa es a maravilla;
el Comendador de Ocaña   870
de amores la requería.
La mujer es virtüosa[411]
cuanto hermosa y cuanto linda;
mientras Pedro está en Toledo
desta suerte respondía: 875
«Más quiero yo a Peribáñez
con su capa la pardilla[412]
que no a vos, Comendador,
con la vuesa[413] guarnecida[414].»

PERIBÁÑEZ.	Notable aliento he cobrado	880
	con oír esta canción,	
	porque lo que éste ha cantado	
	las mismas verdades son	
	que en mi ausencia habrán passado.	
	¡Oh, cuánto le debe al cielo	885
	quien tiene buena mujer!	
	Que el jornal[415] dexan, rezelo.	

---

[409] Las eds. de 1614 dicen Cha[parro]. Desde Hartzenbusch las eds. modernas escriben Otro segador.

[410] Véase la n. 78.

[411] *Virtüosa* con diéresis por necesidades métricas.

[412] Véase la n. 344.

[413] Forma arcaica de *vuestra*.

[414] Estos son los versos que sirvieron a Lope como inspiración para toda la comedia. Véase en la Introducción el epígrafe «Invención y fuentes de *Peribáñez*».

[415] *Jornal*, trabajo.

142

Aquí me quiero esconder.
¡Oxalá se abriera el suelo!
    Que aunque en gran satisfación,   890
Casilda, de ti me pones,
pena tengo con razón,
porque honor que anda en canciones
tiene dudosa opinión.
(Éntrense.)

[ESCENA XXII]

[Sala en casa de PERIBAÑEZ.*]*

(INÉS y CASILDA.)

CASILDA.   ¿Tú me habías de dezir   895
        desatino semejante?
INÉS.   Dexa que passe adelante.
CASILDA.   Ya, ¿cómo te puedo oír?
INÉS.   Prima, no me has entendido,
        y este preciarte de amar   900
        a Pedro, te haze pensar
        que ya está Pedro ofendido.
            Lo que yo te digo a ti
        es cosa que a mí me toca.
CASILDA.   ¿A ti?
INÉS.   Sí
CASILDA.   Yo estaba loca.   905
        Pues, si a ti te toca, di.
INÉS.   Leonardo, aquel caballero
        del Comendador, me ama
        y por su mujer me quiere.
CASILDA.   ¡Mira, prima, que te engaña!   910
INÉS.   Yo sé, Casilda, que soy
        su misma vida.
CASILDA.   Repara
        que son sirenas los hombres,
        que para matarnos cantan.

INÉS.	Yo tengo cédula[416] suya.
CASILDA.	Inés, plumas[417] y palabras
	todas se las lleva el viento.
	Muchas damas tiene Ocaña
	con ricos dotes, y tú
	ni eres muy rica ni hidalga.
INÉS.	Prima, si con el desdén
	que ahora comienças, tratas
	al señor Comendador,
	falsas son mis esperanças,
	todo mi remedio[418] impides.
CASILDA.	¿Ves, Inés, cómo te engañas,
	pues porque me digas esso
	quiere fingir que te ama?
INÉS.	Hablar bien no quita honor;
	que yo no digo que salgas
	a recebirle[419] a la puerta,
	ni a verle por la ventana.
CASILDA.	Si te importan la vida,
	no le mirara la cara.
	Y advierte que no le nombres,
	o no entres más en mi casa;
	que del ver viene el oír,
	y de las locas palabras
	vienen las infames obras.

---

[416] Documento en el que consta que Leonardo promete casarse con Inés.
[417] Correas recoge el siguiente refrán: «Palabras y plumas, el viento las lleva».
[418] *Remedio,* matrimonio.
[419] Alteración del timbre vocálico.

144

[ESCENA XXIII]

(Peribáñez, *con unas alforjas[420] en las manos.*
[Dichas.]

Peribáñez.	¡Esposa!	
Casilda.	¡Luz de mi alma!	940
Peribáñez.	¿Estás buena?	
Casilda.	Estoy sin ti.	
	¿Vienes bueno?	
Peribáñez.	El verte basta	

para que salud me sobre.
¡Prima!

Inés.	¡Primo!	
Peribáñez.	¿Qué me falta,	

si juntas os veo?

Casilda.	Estoy	945

a nuestra Inés obligada;
que me ha hecho compañía
lo que has faltado de Ocaña.

Peribáñez.	A su casamiento rompas	
	dos chinelas argentadas[421],	950

y yo los çapatos nuevos
que siempre en bodas se calçan.

Casilda.	¿Qué me traes de Toledo?	
Peribáñez.	Desseos; que por ser carga	
	tan pesada, no he podido	955

traerte joyas ni galas.

---

[420] *Alforjas:* «unas como bolsas grandes cuadradas de jerga o sayal, o tejidas de lana, hechas de una pieza con una abertura entre las dos por donde mete la cabeza el que las lleva, cayendo una sobre las espaldas, y la otra encima del pecho, atravesadas con dos pedazos como fajas de la misma tela. Son muy útiles a todo género de caminantes y gente del campo, para llevar su ropa y cosas comestibles» *(Dicc. de Autor.).*

[421] *Chinelas argentadas*, calzado decorado de plata.

Con todo, te traigo aquí
para essos pies, que bien hayan,
unas chinelas abiertas,
que abrochan cintas de nácar.   960
Traigo más: seis tocas rizas,
y, para prender las sayas[422],
dos cintas de vara y media
con sus herretes de plata.

CASILDA.   Mil años te guarde el cielo.   965
PERIBÁÑEZ.   Sucedióme una[423] desgracia;
que, a la fe, que fue milagro
llegar con vida a mi casa.
CASILDA.   ¡Ay Jesús! Toda me turbas.
PERIBÁÑEZ.   Caí de unas cuestas altas   970
sobre unas piedras.
CASILDA.   ¿Qué dizes?
PERIBÁÑEZ.   Que si no me encomendara
al santo en cuyo servicio
caí de la yegua baya[424],
a estas horas estoy muerto.   975
CASILDA.   Toda me tienes helada.
PERIBÁÑEZ.   Prometíle la mejor
prenda que hubiesse en mi casa
para honor de su capilla;
y assí, quiero que mañana   980
quiten estos reposteros
que nos harán poca falta,
y cuelguen en las paredes
de aquella su ermita santa
en justo agradecimiento.   985
CASILDA.   Si fueran paños de Francia,
de oro, seda, perlas, piedras,
no replicara palabra.

---

[422] Véase la n. 334.
[423] En P, por error, dice *un desgracia*.
[424] Véase la n. 79.

146

PERIBÁÑEZ[425].   Pienso que nos está bien[426]
que no estén en nuestra casa   990
paños con armas ajenas;
no murmuren en Ocaña
que un villano labrador
cerca su inocente cama
de paños comendadores,   995
llenos de blasones y armas.
Timbre y plumas no están bien
entre el arado y la pala,
bieldo[427], trillo[428] y azadón;
que en nuestras paredes blancas   1000
no han de estar cruzes de seda,
sino de espigas y pajas,
con algunas amapolas,
manzanillas y retamas.
Yo, ¿qué moros he vencido   1005
para castillos y bandas?
Fuera de que sólo quiero
que haya imágenes[429] pintadas:
la Anunciación, la Assunción,
San Francisco con sus llagas,   1010
San Pedro Mártir, San Blas
contra el mal de la garganta,
San Sebastián y San Roque,
y otras pinturas sagradas;
que, retratos, es tener   1015

---

[425] Las palabras que a continuación pronuncia Peribáñez son exponente de la estratificación social a la que nos hemos referido en la Introducción.

[426] B dice *pienso que no os está bien*.

[427] *Bieldo:* «instrumento de labradores hecho de un palo como de escoba, y clavado al remate, o metido en la punta por un agujero, otro del tamaño de una tercia, y más grueso, del cual salen otros cuatro como dientes de peines, delgados y puntiagudos, con el cual separan la paja del grano, y la avientan para que quede limpio» *(Dicc. del Autor.)*.

[428] *Trillo:* «el instrumento con que se trilla. Es un tablón hecho de tres trozos ensamblados uno con otro, lleno de agujeros, en los cuales se encajan comúnmente unas piedras de pedernal que cortan la paja y separan el grano de ella» *(Dicc. del Autor.)*.

[429] En P, por error, *imágines*.

147

en las paredes fantasmas.
Uno vi yo, que quisiera...
Pero no quisiera nada.
Vamos a cenar, Casilda,
y apercíbanme la cama[430].   1020

CASILDA.   ¿No estás bueno?
PERIBÁÑEZ.   Bueno estoy.

[ESCENA XXIV]

(Entre LUXÁN.*) [Dichos.]*

LUXÁN.   Aquí un criado te aguarda
del Comendador.
PERIBÁÑEZ.   ¿De quién?
LUXÁN.   Del Comendador de Ocaña.
PERIBÁÑEZ.   Pues ¿qué me quiere a estas horas?   1025
LUXÁN.   Esso sabrás si le hablas.
PERIBÁÑEZ.   ¿Eres tú aquel segador
que anteayer entró en mi casa?
LUXÁN.   ¿Tan presto me desconoces?
PERIBÁÑEZ.   Donde tantos hombres andan,   1030
no te espantes.
LUXÁN.   *[Aparte.]*
                              (Malo es esto.)
INÉS.   *[Aparte.]*
                (Con muchos sentidos habla.)
PERIBÁÑEZ.   ¿El Comendador a mí?
                [Aparte.]
                (¡Ay honra, al cuidado ingrata!
Si eres vidrio, al mejor vidrio   1035
cualquiera golpe le basta.)

FIN DEL SEGUNDO ACTO

---

[430] *Apercíbanme la cama.* El *Dicc. de Autor.* define *apercibir* como «prevenir, disponer, aparejar, preparar lo necesario para cualquier cosa».

148

ACTO TERCERO

FIGURAS DEL TERCERO[431] ACTO

El Comendador.
Leonardo.
Peribáñez.
Blas.
Belardo. } Labradores.
Antón.
Inés.
Costanza[431bis].
Casilda.

Luxán.
Un Criado.
Los Músicos.
El rey Enrique.
La Reina.
El Condestable.
Gómez Manrique.
Un Paje.
Un Secretario.

[ESCENA I]

[Plaza de Ocaña.]

(El Comendador y Leonardo.)

COMENDADOR. Cuéntame, Leonardo, breve,
lo que ha passado en Toledo.

LEONARDO. Lo que referirte puedo, puesto que[432] a
[ceñirlo pruebe
en las más breves razones,   5
quiere más paciencia.

---

[431] Respeto la expresión de las eds. de 1614.

[431bis] En B, *Costança*.

[432] *Puesto que* con valor concesivo, «aunque».

149

COMENDADOR.   Advierte
                      que soy un sano a la muerte,
                      y que remedios me pones.
LEONARDO[433].   El Rey Enrique el Tercero,
                      que hoy el Justiciero llaman,   10

---

[433] A continuación Leonardo emplea un largo romance para contar la reunión de las Cortes y los preparativos de la guerra contra Granada. (El romance era precisamente el metro idóneo para las narraciones según aconsejaba Lope en su *Arte nuevo,* verso 309, dado que la tradición lo había seleccionado para la épica narrativa.) Lope sigue escrupulosamente la *Crónica de Juan II* y se limita a versificar lo que allí se relata en prosa. Compárese el parlamento de Leonardo con el texto histórico: «Donde así fue, que estando este excelente rey Don Enrique en la villa de Madrid, quasi en fin del año de la Incarnación de nuestro Redentor de mil e quatrocientos e seis años, determinó de venir a Toledo, con propósito de ir poderosamente por su persona a hacer guerra al Rey de Granada, porque le había quebrantado la tregua e la fe que le había dado de le restituir el su castillo de Ayamonte en cierto tiempo que era pasado, e le no había pagado las parias que le debía; sobre lo qual le había mandado requerir algunas veces, e ni lo uno ni lo otro había querido cumplir. Para lo qual mandó allí hacer ayuntamiento de los Grandes de sus Reynos, así Perlados como Caballeros; e mandó llamar los Procuradores de sus cibdades e villas, porque con acuerdo e consejo de todos la guerra se comenzase, e para ello se diese el orden que convenía, así de la gente de armas e peones, como de pertrechos, e artillerías, e bastimentos, e dinero para seis meses pagar sueldo a la gente que se hallase ser necesaria, para que su persona entrase en el Reyno de Granada, como convenía al honor de tan alto Príncipe quanta él era. E venido a Toledo, adoleció de tal manera, que no pudo entender como quisiera en las cosas ya dichas, e mandó al Señor Infante Don Fernando, su hermano, que en todo entendiese como su persona propia entendiera, si para ello tuviera disposición. El qual envió mandar a los Perlados e Caballeros, que allí se hallaron, e a los Procuradores de las cibdades e villas que eran ende venidos, que todos para el siguiente día fuesen en el Alcázar de la dicha cibdad, donde el Señor Rey había mandado hacer asentamiento para tener las Cortes. E los Perlados e Caballeros e Procuradores que ende se hallaron, son los siguientes: Don Juan, Obispo de Sigüenza, que entonces sede vacante gobernaba el Arzobispado de Toledo, después del fallecimiento del Reverendísimo Arzobispo Don Pedro Tenorio; e Don Sancho de Rojas, Obispo de Palencia, que después fue Arzobispo de Toledo; e Don Pablo, Obispo de Cartagena que después fue Obispo de Burgos; e Don Fadrique, Conde de Trastamara, que después fue Duque de Arjona; e Don Enrique Manuel, primo del Rey; e Don Ruy López Dávalos, Condestable de Castilla; e Juan de Velasco, Camarero mayor del Rey; e Diego López Destúñiga, Justicia mayor de Castilla; e Gómez Manrique, Adelantado mayor de Castilla; e los Doctores Pero Sánchez del Castillo, e Juan Rodríguez de Salamanca, e Periáñez, Oidores del Audiencia del Rey e del su Consejo...» (véase Menéndez Pelayo, *op. cit.*, págs. 38-39).

porque Catón y Aristides
en la equidad no le igualan,
el año de cuatrocientos
y seis sobre mil, estaba
en la villa de Madrid,   15
donde le vinieron cartas,
que, quebrándole las treguas
el rey moro de Granada,
no queriéndole volver
por promessas y amenazas[434]   20
el castillo de Ayamonte[435],
ni menos pagarle parias,
determinó hazerle guerra;
y para que la jornada
fuesse como convenía   25
a un rey el mayor de España,
y le ayudassen sus deudos
de Aragón y de Navarra,
juntó cortes en Toledo,
donde al presente se hallan   30
prelados y caballeros,
villas y ciudades varias...
Digo sus procuradores,
donde en su Real Alcáçar
la disposición de todo   35
con justos acuerdos tratan:
el obispo de Sigüença,
que la insigne iglesia santa
rige en Toledo ahora,
porque está su silla vaca   40
por la muerte de don Pedro

---

[434] En B, *amenaças*.

[435] Z. Vicente anota en su ed.: «La guerra de los moros vino por esta causa: los moros, en treguas, furtaron un castillo de don Alvar Pérez de Guzmán, señor de Oluera, que dizen Aymonte, e por muchas vezes fueron requeridos los moros por el rey que lo tornasen e non lo quisieron fazer» (Pérez de Guzmán, *Generaciones y semblanzas*, Clásicos Castellanos, LXI, pág. 17). Se trata, pues, de la fortaleza de *Aymonte*, en las sierras de Ronda, no de *Ayamonte*, como dice Lope siguiendo a la Crónica.

Tenorio, varón de fama;
el obispo de Palencia,
don Sancho de Rojas, clara
imagen de sus passados,   45
y que el de Toledo aguarda;
don Pablo, el de Cartagena,
a quien ya a Burgos señalan;
el gallardo don Fadrique,
hoy conde de Trastamara,   50
aunque ya duque de Arjona
toda la corte le llama,
y don Enrique Manuel,
primos del Rey, que bastaban,
no de Granada, de Troya,   55
ser incendio sus espadas;
Ruy López de Ávalos, grande
por la dicha y por las armas,
Condestable de Castilla,
alta gloria de su casa;   60
el Camarero mayor
del Rey, por sangre heredada
y virtud propia[436], aunque tiene
también de quién heredarla,
por Juan de Velasco digo,   65
digno de toda alabança;
don Diego López de Estúñiga,
que Justicia mayor llaman;
y el mayor Adelantado
de Castilla, de quien basta   70
dezir que es Gómez Manrique,
de cuyas historias largas
tienen Granada y Castilla
cosas tan raras y extrañas;
los oidores del Audiencia   75
del Rey, y que el reino amparan:
Pero Sánchez del Castillo,

---

[436] En P, *propria* que es la lectura que da Hartzenbusch.

	Rodríguez de Salamanca,	
	y Periáñez[437]...	
COMENDADOR.	Tente[438]...	
	¿Qué Periáñez[439]? Aguarda;	80
	que la sangre se me yela	
	con esse nombre.	
LEONARDO.	¡Oh, qué gracia!	
	Háblote de los oidores	
	del Rey, ¡y del que se llama	
	Periáñez, imaginas	85
	que es el labrador de Ocaña!	
COMENDADOR.	Si hasta ahora te pedía	
	la relación y la causa	
	de la jornada del Rey,	
	ya no me atrevo a escucharla.	90
	Esso, ¿todo se resuelve	
	en que el Rey haze jornada	
	con lo mejor de Castilla	
	a las fronteras, que guardan,	
	con favor del granadino,	95
	los que le[440] niegan las parias?	
LEONARDO.	Esso es todo.	
COMENDADOR.	Pues advierte	
	[Solo][441].	
	(que me es de importancia),	
	que, mientras fuiste a Toledo,	
	tuvo execución la traça.	100
	Con Peribáñez hablé,	
	y le dixe[442] que gustaba	
	de nombralle capitán	

---

[437] En B, por error, *Peribáñez*. *Periáñez* con diéresis por necesidades métricas.

[438] Hartzenbusch corrigió *Detente*.

[439] *Periáñez* con diéresis por necesidades métricas. En B, *Peribáñez*. Igual error se encuentra en la ed. de Henríquez Ureña.

[440] Las eds. de 1614 coinciden en la lectura errónea de *les*.

[441] Las eds. de 1614 escriben *no lo que me es de importancia*. Hartzenbusch corrigió *Solo*.

[442] M escribe *dize*.

	de cien hombres de labrança	
	y que se pusiesse a punto.	105
	Parecióle que le honraba,	
	como es verdad, a no ser	
	honra aforrada[443] en infamia.	
	Quiso ganarla en efeto[444];	
	gastó su hazendilla en galas,	110
	y sacó su compañía	
	ayer, Leonardo, a la plaça;	
	y hoy, según Luxán me ha dicho,	
	con ella a Toledo marcha.	

LEONARDO. ¡Buena te dexa a Casilda[445],   115
tan villana y tan ingrata
como siempre!

COMENDADOR.   Sí, mas mira
que amor en ausencia larga
hará el efeto[446] que suele
en piedra el curso del agua.   120
(Tocan caxas.)[447]

LEONARDO. Pero ¿qué caxas son estas?

COMENDADOR. No dudes que son sus caxas[448].
Tu alférez trae los hidalgos.
Toma, Leonardo, tus armas,
porque mejor le engañemos,   125
para que a la vista salgas
también con tu compañía.

LEONARDO. Ya llegan. Aquí me aguarda.
(Váyase LEONARDO.*)*

---

[443] Véase la n. 314.

[444] Simplificación del grupo consonántico culto.

[445] Hartzenbusch escribe *Bueno. Y te deja a Casilda.*

[446] Véase la n. 444.

[447] *Caxas:* «se llama también el tambor, especialmente entre los soldados» *(Dicc. de Autor.).*

[448] En la ed. de Z. Vicente se atribuyen estas palabras a Leonardo.

*(Entra[449] una compañía de labradores, armados graciosamente,
y detrás* PERIBÁÑEZ, *con espada y daga.)*
[Dichos.]

PERIBÁÑEZ.	No me quise despedir	
	sin ver a su señoría.	130
COMENDADOR.	Estimo la cortesía.	
PERIBÁÑEZ.	Yo os voy, señor, a servir.	
COMENDADOR.	Dezid al Rey mi señor...	
PERIBÁÑEZ.	Al Rey y a vos...	
COMENDADOR.	Está bien.	
PERIBÁÑEZ.	Que al Rey es justo, y también	135
	a vos, por quien tengo honor;	
	que yo, ¿cuándo mereciera	
	ver mi azadón y gabán	
	con nombre de capitán,	
	con jineta[450] y con bandera	140
	del Rey, a cuyos oídos	
	mi nombre llegar no puede,	
	porque su estatura excede	
	todos mis cincos sentidos?	
	Guárdeos muchos años Dios.	145
COMENDADOR.	Y os traiga, Pedro, con bien.	
PERIBÁÑEZ.	¿Vengo bien vestido?	
COMENDADOR.	Bien;	
	no hay diferencia en los dos.	
PERIBÁÑEZ.	Sola una cosa querría...	
	No sé si a vos os agrada...	150
COMENDADOR.	Dezid, a ver.	

---

[449] En P, *entre*.

[450] *Jineta:* «cierta especie de lanza corta con el hierro dorado, y una borla por guarnición, que en lo antiguo era insignia y distintivo de los capitanes de infantería» *(Dicc. de Autor.).*

155

PERIBÁÑEZ.	Que la espada
	me ciña su señoría,
	para que ansí vaya honrado.
COMENDADOR.	Mostrad, haréos caballero;
	que de essos bríos espero, 155
	Pedro, un valiente soldado.
PERIBÁÑEZ.	¡Pardiez, señor, hela aquí!
	Cíñamela su mercé.
COMENDADOR.	Esperad, os la pondré,
	porque la lleveis por mí. 160
BELARDO.	Híncate, Blas, de rodillas;
	que le quieren her[451] hidalgo.
BLAS.	Pues, ¿quedará falto en algo?
BELARDO.	En mucho, si no te humillas.
BLAS.	Belardo, vos, que sois viejo, 165
	¿hanle de dar con la espada?
BELARDO.	Yo de mi burra manchada,
	de su albarda y aparejo
	entiendo más que de armar
	caballeros de Castilla. 170
COMENDADOR.	Ya os he puesto la cuchilla.
PERIBÁÑEZ.	¿Qué falta agora?
COMENDADOR.	Jurar
	que a Dios, Supremo Señor,
	y al Rey serviréis con ella.
PERIBÁÑEZ[452].	Esso juro, y de traella 175
	en defensa de mi honor,
	del cual, pues voy a la guerra,
	adonde vos me mandáis,
	ya por defensa quedáis,
	como señor desta tierra. 180

---

[451] *Her* no es más que el infinitivo antiguo del verbo *hacer, fer.* Su empleo aquí sirve para caracterizar el habla tosca de un labrador.

[452] A continuación Peribáñez expresa con términos precisos cómo ha alcanzado honor al ser armado caballero por el Comendador a quien se equipara. A partir de este momento, tiene derecho a la reparación si es que resulta deshonrado, más justificada todavía si se tiene en cuenta que encomienda el cuidado de su mujer a su señor.

Mi casa y mujer, que dexo,
por vos, rezién desposado,
remito a vuestro cuidado
cuando de los dos me alejo.
Esto os fío, porque es más   185
que la vida, con quien voy;
que, aunque tan seguro estoy
que no la ofendan jamás,
gusto que vos la guardéis,
y corra por vos, a efeto[453]   190
de que, como tan discreto,
lo que es el honor sabéis;
que con él no se permite
que hazienda y vida se iguale,
y quien sabe lo que vale,   195
no es possible que le[454] quite.
Vos me ceñistes[455] espada,
con que ya entiendo de honor;
que antes yo pienso, señor,
que entendiera poco o nada.   200
Y pues iguales los dos
con este honor me dexáis[456],
mirad cómo le guardáis,
o quexaréme de vos.

COMENDADOR.   Yo os doy licencia, si hiziere   205
en guardalle deslealtad,
que de mí os quexéis.

PERIBÁÑEZ.   Marchad,
y venga lo que viniere.

(Éntrese, marchando detrás con graciosa arrogancia.)

---

[453] Véase la n. 444.
[454] Las tres eds. de 1614 coinciden en la lectura errónea de *la quite*.
[455] La segunda persona del plural del pretérito tenía como desinencia *-stis* >
-stes, vigente hasta el siglo XVII. Más tarde se contagió de la *i* presente en las
formas de otros tiempos. (Cfr. R. Lapesa, *Historia de la lengua española*, Madrid,
Escelicer, 7.ª ed., 1968, págs. 252 y 302; y R Menéndez Pidal, *Manual de gramá-
tica histórica española*, Madrid, Espasa-Calpe, 13.ª ed., 1968, págs. 279-300.)
[456] Hartzenbusch escribe *con este honor nos dejáis*.

[COMENDADOR.]

COMENDADOR.   Algo confuso me dexa,
el estilo con que habla,   210
porque parece que entabla
o la vengança o la quexa.
    Pero es que, como he tenido
el pensamiento culpado,
con mi malicia he juzgado   215
lo que su inocencia ha sido.
    Y cuando pudiera ser
malicia lo que entendí,
¿dónde ha de haber contra mí
en un villano poder?   220
    ¡Esta noche has de ser mía,
villana, rebelde, ingrata,
porque muera quien me mata
antes que amanezca el día!
(Éntrase.)

[ESCENA IV]

[Calle de Ocaña con vista exterior de la casa de PERIBÁÑEZ.]

(En lo alto COSTANÇA y CASILDA e INÉS.)

COSTANÇA.   En fin, ¿se ausenta tu esposo?   225
CASILDA.   Pedro a la guerra se va;
que en la que me dexa acá
pudiera ser más famoso[457]

---

[457] *Famoso*, véase la n. 130.

INÉS.	Casilda, no te enternezcas;	
	que el nombre de capitán	230
	no como quiera le dan.	
CASILDA.	¡Nunca estos nombres merezcas!	
COSTANÇA.	A fee que tienes[458] razón,	
	Inés; que, entre tus iguales,	
	nunca he visto cargos tales,	235
	porque muy de hidalgos son.	
	Demás que tengo entendido	
	que a Toledo solamente	
	ha de llegar con la gente.	
CASILDA.	Pues si esso no hubiera sido,	240
	¿quedárame vida a mí?	
INÉS.	La caxa suena. ¿Si es él?	
COSTANÇA.	De los que se van con él,	
	ten lastima, y no de ti.	

[ESCENA V]

(La caxa y PERIBÁÑEZ, *bandera, soldados.)*

[BELARDO[459], BLAS. *Dichas.*]

BELARDO.	Veislas allí en el balcón,	245
	que me remozo de vellas;	
	mas ya no soy para ellas,	
	ni ellas para mí no son[460].	
PERIBÁÑEZ.	¿Tan viejo estáis ya, Belardo?	
BELARDO.	El gusto se acabó ya.	250

---

[458] Transcribo *tienes* como se lee en P, aunque M y B dicen *tiene*.

[459] Belardo es un personaje tras el que se esconde el propio Lope, como ocurre en muchas otras obras. Como se dijo en la Introducción, el diálogo que sigue es fundamental pan la datación de la pieza, ya que el autor suministra en él varios datos autobiográficos.

[460] La lengua del Siglo de Oro admitía la doble negación en este tipo de construcciones.

159

PERIBÁÑEZ.	Algo dél os quedará
	baxo[461] del capote[462] pardo.
BELARDO.	¡Pardiez, señor capitán,
	tiempo hue[463] que al sol y al aire[464]
	solía hazerme donaire, 255
	ya pastor, ya sacristán!
	Cayó un año mucha nieve,
	y como lo rucio[465] vi,
	a la iglesia me acogí[466].
PERIBÁÑEZ.	¿Tendréis tres diezes y un nueve? 260
BELARDO.	Essos y otros tres dezía
	un aya que me criaba[467];
	mas pienso que se olvidaba.
	¡Poca memoria tenía!
	Cuando la Cava[468] nació 265
	me salió la primer muela.
PERIBÁÑEZ.	¿Ya íbades[469] a la escuela?
BELARDO.	Pudiera juraros yo
	de lo que entonces sabía;
	pero mil dan a entender 270

---

[461] M escribe *bajo*.

[462] *Capote:* «capa fuerte, hecha por lo regular de albornoz, barragán, carro de oro u otra tela doble, la cual sirve de abrigo o para resistir al agua» *(Dicc. de Autor.).*

[463] B escribe *hubo*. *Hue:* como las originarias efes iniciales se perdían en determinadas posiciones (jamás en la palabra que nos ocupa), esta forma verbal llegó a perderla en ciertas zonas rurales. Este ruralismo fue empleado ya en el siglo XVI para caracterizar el habla de los pastores iletrados *(sayagués).* Lope la utiliza aquí con idéntica finalidad al ponerla en boca del labrador Belardo.

[464] Hartzenbusch escribe *el sol* y *el aire.*

[465] *Rucio:* «se llama familiarmente al hombre entrecano» *(Dicc. de Autor.).*

[466] Como ya se dijo en la Introducción, este verso puede referirse a que Lope abrazó el sacerdocio (hipótesis poco persuasiva si se tiene en cuenta que la aprobación de la comedia es de 1613 y la ordenación de 1614), o bien a su ingreso en la Congregación de Esclavos del Santísimo Sacramento en 1610. Véase la Introducción, bajo el epígrafe «La fecha de composición», donde se estudia pormenorizadamente esta cuestión.

[467] *Criaba,* con diéresis por necesidades métricas.

[468] *Cava:* se refiere a la hija del conde don Julián, la que mantuvo amores, según la leyenda, con don Rodrigo, el último rey godo.

[469] *Íbades,* forma arcaica, «ibais».

que apenas supe leer[470],
y es lo más cierto, a fee mía;
que como en gracia se lleva
dançar, cantar o tañer,
yo sé escribir sin leer,   275
que a fee que es gracia bien nueva.

CASILDA.   ¡Ah, gallardo capitán
de mis tristes pensamientos!

PERIBÁÑEZ[471]. ¡Ah dama, la del balcón,
por quien la bandera tengo!   280

CASILDA.   ¿Vaisos de Ocaña, señor?

PERIBÁÑEZ.   Señora, voy a Toledo,
a llevar[472] estos soldados
que dizen que son mis zelos.

CASILDA.   Si soldados[473] los lleváis,   285
ya no ternéis pena dellos;
que nunca el honor quebró
en soldándose los zelos.

PERIBÁÑEZ.   No los llevo tan soldados,
que no tenga mucho miedo,   290
no de vos, mas de la causa
por quien sabéis que los llevo.
Que si zelos fueran tales
que yo los llamara vuestros,
ni ellos fueran donde van,   295
ni yo, señora, con ellos.
La seguridad, que es paz

---

[470] Lope se mofa aquí de las duras críticas que los neoaristotélicos de su época le habían dirigido por no haber acomodado su práctica teatral a la de los clásicos, aduciendo que eran escritores absolutamente desconocidos por el Fénix.

[471] Obsérvese el raro registro lingüístico que emplea Peribáñez a partir de este momento, raro por cuanto el personaje nos tenía habituados a un habla más espontánea y coloquial. Wilson, en su art. cit., piensa que este cambio se debe a que al haber sido ordenado caballero, también su expresión se ha vuelto caballeresca.

[472] Complemento directo personal sin la preposición *a*.

[473] Juego disémico entre el significado del sustantivo *soldado* y el participio del verbo *soldar*.

de la guerra en que me veo,
me lleva a Toledo, y fuera
del mundo al último extremo.   300
A despedirme de vos
vengo, y a dezir que os dexo
a vos de vos misma en guarda,
porque en vos y con vos quedo;
y que me deis el favor   305
que a los capitanes nuevos
suelen las damas, que esperan
de su guerra los trofeos.
¿No parece que ya os hablo
a lo grave y caballero?   310
¡Quién dixera que un villano
que ayer al rastrojo seco
dientes menudos ponía
de la hoz corva de azero,
los pies en las tintas uvas,   315
rebosando el mosto negro
por encima del lagar,
o la tosca mano al hierro
del arado, hoy os hablara
en lenguaje soldadesco,   320
con plumas de presumpción[474]
y espada de atrevimiento!
Pues sabed que soy hidalgo,
y que dezir y hazer puedo[475];
que el Comendador, Casilda,   325
me la ciñó, cuando menos.
Pero este *menos,* si el *cuando*
viene a ser cuando sospecho,
por ventura será *más;*
pero yo no menos bueno.   330

---

[474] En B, *presunción.*
[475] Como hace saber Peribáñez, ya entiende de honor y puede repararlo si alguien atenta contra él. Se está preparando la justificación moral y política del desenlace que podría resultar conflictivo al matar un villano a un Comendador.

CASILDA.	Muchas cosas me dezís
	en lengua que ya no entiendo;
	el favor, sí; que yo sé
	que es bien debido a los vuestros.
	Mas ¿qué podrá una villana 335
	dar a un capitán?
PERIBÁÑEZ.	No quiero
	que os tratéis ansí.
CASILDA.	Tomad,
	mi Pedro, este listón[476] negro.
PERIBÁÑEZ.	¿Negro me lo dais, esposa?
CASILDA.	Pues, ¿hay en la guerra agüeros? 340
PERIBÁÑEZ.	Es favor desesperado;
	promete luto o destierro.
BRAS[477].	Y vos, señora Costança,
	¿no dais por tantos requiebros
	alguna prenda a un soldado? 345
COSTANÇA.	Blas, essa cinta de perro,
	aunque tú vas donde hay tantos[478],
	que las podrás hazer dellos.
BRAS.	¡Plega a Dios que los moriscos
	las hagan de mi pellejo, 350
	si no dexare matados
	cuantos me fueren huyendo!

---

[476] *Listón:* «se llama comúnmente cierto género de cinta de seda más angosta que la colonia» *(Dicc. de Autor.).* Los colores tenían un simbolismo concreto. El negro lo era de tristeza. Z. Vicente, en su ed., cita los siguientes versos de Quevedo en los que se explican estos significados: «Es lo blanco castísima pureza, / amores significa lo morado, / crudeza o sujeción es lo encarnado, / naranjado se entiende que es firmeza. / Negro oscuro es dolor, claro tristeza, / rojo-claro vergüenza, y colorado / furor; bayo desprecio, y leonado, / congoja; claro muestra ser alteza. / Es lo pardo trabajo, azul es celo, / turquesado es soberbia, y lo amarillo / es desesperación; verde esperanza...» (Quevedo, *Comparación con el significado de los colores,* BAE, LXIX, pág. 490 b).

[477] *Bras* aparecía entre las *figuras del tercero acto* como Blas; sin embargo, aquí y en los versos siguientes las eds. de 1614 lo escriben con *r.* Hartzenbusch y Z. Vicente escriben *Blas.*

[478] *Tantos.* Costança se refiere despectivamente a los moros: *tantos [perros].*

INÉS.	¿No pides favor, Belardo?
BELARDO.	Inés, por soldado viejo,
	ya que no por nuevo amante, 355
	de tus manos le merezco.
INÉS.	Tomad aqueste chapín[479].
BELARDO.	No, señora, deteneldo[480];
	que favor de chapinazo,
	desde tan alto, no es bueno. 360
INÉS.	Traedme un moro, Belardo,
BELARDO.	Días ha que ando tras ellos[481].
	Mas, si no viniere en prosa,
	desde aquí le ofrezco en verso.

[ESCENA VI]

(LEONARDO, *capitán, caxa y bandera y compañía de hidalgos.*)
[Dichos.]

LEONARDO.	Vayan marchando, soldados, 365
	con el orden que dezía.
INÉS.	¿Qué es esto?
COSTANÇA.	La compañía
	de los hidalgos cansados[482].

---

[479] Véase la n. 155.

[480] *Deteneldo*, con la metátesis que hemos encontrado en otras formas de imperativo.

[481] Belardo (= Lope) se refiere a una obra en la que evidentemente aparecen moros y que por esa época está elaborando. Lo que no sabemos es a cuál de ellas puede referirse. Pueden ser los romances moriscos o *La Jerusalén conquistada*. (Véase la Introducción, pág. 41.)

[482] En P, *casados*, que es la versión que recogen Hartzenbusch, y Bonilla y San Martín. En la ed. de Aubrun-Montesinos, pág. 137, se dice: «toutes les éditions donnent *casados*». (¿Es que sólo se sirvieron del texto P para elaborar su edición?) Z. Vicente, por su parte, también comete algún error al anotar en la pág. 110 de su ed. cit.: «La Parte VII barcelonesa dice ya *cansados*». (Se trata de la Parte IV en realidad, y la lectura pertenece no sólo a B sino también a M.)

El parlamento de Costança es claramente antisemita. Henri Mérimée, en «*Casados ou cansados*», en la *Revista de Filología Española*, VI, 1919, págs. 61-63, hace

INÉS.	Más luzidos han salido	
	nuestros fuertes labradores.	370
COSTANÇA.	Si son las galas mejores,	
	los ánimos no lo han sido.	
PERIBÁÑEZ.	¡Hola! Todo hombre esté en vela	
	y muestre gallardos bríos.	
BELARDO.	¡Que piensen estos judíos	375
	que nos mean la paxuela![483]	
	Deles un gentil barçón[484]	
	muesa gente por delante.	
PERIBÁÑEZ.	¡Hola! Nadie se adelante;	
	siga a ballesta[485] lanzón.	380

varios reparos a la lectura *casados:* 1.º) ¿Por qué formar una compañía sólo de hidalgos casados? 2.º) ¿Cómo es capaz Costança de reconocer a cien hombres casados? Lo que ocurre es que Costança ha reconocido el cansancio y el aire de fatiga con que desfilan los gentilhombres, por contraposición al aire enérgico con que se presenta la de los labradores cuando Inés exclama: «Más luzidos han salido / nuestros fuertes labradores». Mérimée restablece, pues, acertadamente la *n: cansados.* Por otra parte, Joseph H. Silverman, en «Los "hidalgos cansados" de Lope de Vega», en el *Homenaje a W. L. Fichter,* Madrid, Castalia, 1971, págs. 693-711, demuestra en varios textos *(San Diego de Alcalá* de Lope, el *Arte de furtar,* etc.) cómo *ley cansada* era sinónimo con sentido peyorativo de *fe judaica.* Ya Américo Castro, en *De la edad conflictiva...,* pág. 227, n. 13, escribe que Francisco Márquez le comunicó que *«cansado* se refiere aquí a la ley del Antiguo Testamento, con lo cual se hace más punzante el dicterio de los labriegos. Encuentro, en efecto, que según fray Juan de los Ángeles *(Obras místicas,* ed. Nueva Biblioteca Aut. Esp., t. 20, pág. 428) la nueva ley de los cristianos "incluye nuevos mandamientos y nuevo culto, acabado lo antiguo con sus ceremonias *tan cansadas".* Es decir, que *cansado* tomó sentido tan antijudaico como *esperar,* según habrá visto el lector en otros lugares de este libro».

En consecuencia, estamos ante uno de los textos más duros contra los hidalgos a los que se les tacha de cristianos nuevos. (Véase la Introducción, sobre todo las págs. 32 y ss.)

[483] Se trata nuevamente de un rechazo de los hidalgos. *Mear la paxuela,* aventajar. «Mear la pajuela. Usaban los muchachos luchar, y a las tres caídas el vencedor cogía una pajuela del suelo y la meaba, y con ella daba por la boca al vencido sin que lo viese, y de este modo lo afrentaba, y así en otras cosas» (Correas, *Vocabulario de refranes).*

[484] *Barzón,* paseo.

[485] En P, *valesta. Siga a ballesta lanzón:* los hidalgos llevaban como armas la ballesta, mientras que los labradores portaban lanzones. El sentido del verso es que éstos vayan detrás de aquéllos.

(Vaya una compañía alderredor de la otra mirándose.)

BRAS.	Agora es tiempo, Belardo,
	de mostrar brío.
BELARDO.	Callad;
	que a la más caduca edad
	suple un ánimo gallardo.
LEONARDO.	Basta, que los labradores 385
	compiten con los hidalgos.
BELARDO.	Éstos huirán como galgos.
BRAS.	No habrá ciervos corredores[486]
	como éstos, en viendo un moro,
	y aun basta[487] oírlo dezir. 390
BELARDO.	Ya los vi a todos huir[488]
	cuando corrimos el toro.

(Éntranse los labradores.)

[ESCENA VII]

[LEONARDO. INÉS.]

LEONARDO.	Ya se han traspuesto. ¡Ce! ¡Inés!
INÉS.	¿Eres tú, mi capitán?
LEONARDO.	¿Por qué tus primas se van? 395
INÉS.	¿No sabes ya por lo que es?
	Casilda es como una roca.
	Esta noche hay mal humor.
LEONARDO.	¿No podrá el Comendador
	verla [un rato][489]?
INÉS.	Punto en boca; 400
	que yo le daré lugar
	cuando imagine que llega
	Pedro a alojarse.

---

[486] Las ediciones de 1614 dicen *cuervos corredores*. Sigo la acertada corrección de Hartzenbusch.

[487] Z. Vicente dice y *aun hasta oírlo*.

[488] *Hüir* con diéresis por necesidades métricas.

[489] Entre corchetes lo añadido por Hartzenbusch.

166

LEONARDO.	Pues ciega,
	si me quieres obligar,
	los ojos desta mujer, 405
	que tanto miran su honor;
	porque está el Comendador
	para morir desde ayer.
INÉS.	Dile que venga a la calle.
LEONARDO.	¿Qué señas?
INÉS.	Quien cante bien. 410
LEONARDO.	Pues adiós.
INÉS.	¿Vendrás también?
LEONARDO.	Al alférez pienso dalle
	estos bravos españoles,
	y yo volverme al lugar.
INÉS.	Adiós. *[Éntrase.]*
LEONARDO.	Tocad a marchar; 415
	que ya se han puesto dos soles.
	(Vanse.)

[ESCENA VIII]

(EL COMENDADOR, *en casa, con ropa*[490], *y* LUXÁN, *lacayo.*)

COMENDADOR.	En fin, ¿le viste partir?
LUXÁN.	Y en una yegua marchar,
	notable para alcançar
	y famosa para huir. 420
	Si vieras cómo regía
	Peribáñez sus soldados[491]
	te quitara mil cuidados.
COMENDADOR.	Es muy gentil compañía;
	pero a la de su mujer 425
	tengo más envidia yo.

---

[490] La vestimenta servía para suplir la información que, de existir unos buenos decorados, éstos facilitarían. Así, el vestuario indicaba si el personaje estaba en casa o iba de viaje, por ejemplo. Aquí se quiere significar la primera situación: el Comendador vestiría jubón y calzas.

[491] Complemento directo personal sin la preposición *a*.

LUXÁN.	Quien no siguió, no alcançó.
COMENDADOR.	Luxán, mañana a comer
	en la ciudad estarán.

LUXÁN.	Como esta noche alojaren.	430

COMENDADOR. Ya te digo que no paren
soldados, ni capitán.

LUXÁN.   Como es gente de labor,
y es pequeña la jornada,
y va la dança engañada   435
con el son del atambor,
    no dudo que sin parar
vayan a Granada ansí.

COMENDADOR. ¡Cómo passará por mí
el tiempo que ha de tardar   440
    desde aquí a las diez!

LUXÁN.   Ya son
casi las nueve. No seas
tan triste, que, cuando veas
el cabello a la ocasión[492],
    pierdas el gusto esperando;   445
que la esperança entretiene.

COMENDADOR. Es, cuando el bien se detiene[493],
esperar desesperando.

LUXÁN.   Y Leonardo, ¿ha de venir[494]?

COMENDADOR. ¿No ves que el concierto es   450
que se case con Inés,
que es quien la puerta ha de abrir?

LUXÁN.   ¿Qué señas ha de llevar?

---

[492] Para comprender el significado de este verso ténganse presentes estas palabras de Covarrubias: «Ocasión, una de las deidades que fingieron los Gentiles. Pintábanla de muchas maneras, y particularmente en figura de doncella con sólo un velo, con alas en los talones... con un copete de cabellos que le caían encima del rostro, y todo lo demás de la cabeza sin ningún cabello. Dando a entender que si ofrecida la ocasión no le echamos mano de los cabellos con la buena diligencia, se nos pasa en un momento, sin que más se nos vuelva a ofrecer».

[493] B escribe *es, cuando bien se detiene*.

[494] En P, por error, *ha de veni*.

COMENDADOR.	Unos músicos que canten.	
LUXÁN.	¿Cosa que[495] la caça espanten?	455
COMENDADOR.	Antes nos darán lugar	
	para que con el ruido[496]	
	nadie sienta lo que passa	
	de abrir ni cerrar la casa.	
LUXÁN.	Todo está bien prevenido;	460
	mas dizen[497] que en un lugar	
	una parentela toda	
	se juntó para una boda,	
	ya a comer y ya a bailar.	
	Vino el cura y desposado,	465
	la madrina y el padrino,	
	y el tamboril también vino	
	con un salterio[498] extremado.	
	Mas dizen que no tenía[n][499]	470
	de la desposada el sí,	
	porque dezía que allí	
	sin su gusto la traían.	
	Junta, pues, la gente toda,	
	el cura le[500] preguntó;	
	dixo tres vezes que no,	475
	y deshízose la boda.	
COMENDADOR.	¿Quieres dezir que nos falta	
	entre tantas prevenciones	
	el sí de Casilda?	
LUXÁN.	Pones	
	el hombro a empressa muy alta	480
	de parte de su dureza,	
	y era menester el sí.	

---

[495] *Cosa que* más verbo en subjuntivo es un giro para expresar conjetura y equivale a «¿no será algo que...?».

[496] *Rüido* con diéresis por necesidades métricas.

[497] En B, *dize*.

[498] Véase la n. 37.

[499] En las eds. de 1614 falta la *n* que Hartzenbusch añadió para que rimara con *traían* del v. 472.

[500] En las eds. de 1614 dice *lo preguntó*.

COMENDADOR.	No va mal trazado[501] assí:
	que su villana aspereza
	no se ha de rendir por ruegos; 485
	por engaños ha de ser.
LUXÁN.	Bien puede bien suceder;
	mas pienso que vamos ciegos.

[ESCENA IX]

(Un CRIADO[502] *y los* MÚSICOS.) *[Dichos.]*

PAJE.	Los músicos han venido.
MÚSICO 1.º	Aquí, señor, hasta el día, 490
	tiene, vuesa[503] señoría
	a Lisardo y a Leonido.
COMENDADOR.	¡Oh amigos! Agradeced
	que este pensamiento os fío;
	que es de honor, y, en fin, es mío. 495
MÚSICO 2.º	Siempre nos hazes merced.
COMENDADOR.	¿Dan las onze?
LUXÁN.	Una, dos, tres...
	No dio más.
MÚSICO 2.º	Contaste mal.
	Ocho eran dadas.
COMENDADOR.	¡Hay tal!
	¡Que aun de mala gana des 500
	las que da el relox de buena!
LUXÁN.	Si esperas que sea más tarde,
	las tres cuento.
COMENDADOR.	No hay qué aguarde.
LUXÁN.	Sosiégate un poco, y cena.

---

501 En B se escribe *traçado*.
502 La acotación discrepa con el nombre que del personaje se facilita en el diálogo, ya que aquí es Paje. (Por su parte, entre las *figuras del tercero acto* aparecía un Paje.) Respeto la redacción de las eds. de 1614.
503 En B se escribe *vuessa*.

COMENDADOR.   ¡Mala Pascua te dé Dios!   505
                     ¿Que cene dizes?
LUXÁN.   Pues bebe
              siquiera.
COMENDADOR.   ¿Hay nieve?[504].
PAJE[505].   No hay nieve[506].
COMENDADOR.   Repartilda entre los dos.
PAJE.   La capa tienes aquí.
COMENDADOR.   Muestra. ¿Qué es esto?
PAJE.   Bayeta[507].   510
COMENDADOR.   Cuanto miro me inquieta.
              Todos se burlan de mí.
                  ¡Bestias! ¿De luto? ¿A qué efeto[508]?
PAJE.   ¿Quieres capa de color?
LUXÁN.   Nunca a las cosas de amor   515
              va de color el discreto.
                  Por el color se dan señas
              de un hombre en un tribunal.
COMENDADOR.   Muestra color, animal.
              ¿Sois criados[509] o sois dueñas?   520
PAJE.   Ves aquí color.
COMENDADOR.   Yo voy,
              amor, donde tú me guías.

_____

[504] *¿Hay nieve?*: el Comendador solicita nieve para enfriar la bebida. En el
siglo XVII se podía disponer de la nieve incluso en verano, ya que ésta se con-
servaba en los pozos. Cfr. M. Herrero García, *La vida española del siglo XVII*,
págs. 147 y ss.

[505] En las eds. de Hartzenbusch y Z. Vicente se atribuyen erróneamente a
Luxán las palabras que en las eds. de 1614 pronuncia el Paje.

[506] *No hay nieve:* ésta es la lectura de las eds. de 1614. Sin embargo, Hartzenbusch y Henríquez Ureña corrigen *Sí, hay nieve* probablemente para justificar las palabras que el Comendador dirige más tarde a sus criados: *repartilda
entre los dos.* Comparto el criterio de Z. Vicente: no creo necesaria la rectifica-
ción, pues puede entenderse que lo que ofrece don Fadrique para repartir sea
la bebida que no desea tomar caliente.

[507] *Bayeta:* «tela de lana muy floja y rala, de ancho de dos varas lo más regular, que sirve para vestidos largos de eclesiásticos, mantillas de mujeres y
otros usos» *(Dicc. de Autor.).* Covarrubias indica que se usaba para forros
y lutos. Por eso, el Comendador la rechaza al parecerle de mal agüero.

[508] Simplificación del grupo consonántico culto.

[509] *Criados* con diéresis por necesidades métricas.

171

	Da una noche a tantos días	
	como en tu servicio estoy.	
LUXÁN.	¿Iré [yo510] contigo?	
COMENDADOR.	Sí,	525

pues que Leonardo no viene.
Templad para ver si tiene
templança este fuego en mí.
(Éntrense.)

[ESCENA X]

[Calle.]

(Salga PERIBÁÑEZ.)

PERIBÁÑEZ.
¡Bien haya el que tiene bestia
destas de huir y alcançar,   530
con que puede caminar
sin pesadumbre y molestia!
    Alojé511 mi compañía512
y con ligereza extraña,
he dado la vuelta a Ocaña.   535
¡Oh, cuán bien dezir podría:
    Oh caña, la del honor!
Pues que no hay tan débil caña
como el honor a quien daña
de cualquier viento el rigor.   540
    Caña de honor quebradiça513,
caña hueca y sin sustancia,
de hojas de poca importancia,
con que su tronco entapiza.

---

510 Entre corchetes el añadido de Hartzenbusch.
511 En P, *aloxé*.
512 Complemento directo personal sin preposición *a*.
513 En B, *quebradiza*.

        ¡Oh caña, toda aparato,   545
caña fantástica[514] y vil,
para quebrada sutil,
y verde tan breve rato!
        ¡Caña compuesta de ñudos,
y honor al fin dellos lleno,   550
sólo para sordos bueno
y para vezinos mudos!
        Aquí naciste en Ocaña
conmigo al viento ligero;
yo te cortaré primero   555
que te quiebres, débil caña.
        No acabo de agradecerme
el haberte sustentado,
yegua, que con tal cuidado
supiste a Ocaña traerme.   560
        ¡Oh, bien haya la cebada
que tantas vezes te di!
Nunca de ti me serví
en ocasión más honrada.
        Agora el provecho toco,   565
contento y agradecido.
Otras vezes me has traído;
pero fue pesando[515] poco;
        que la honra mucho alienta;
y que te agradezca es bien   570
que hayas corrido tan bien
con la carga de mi afrenta.
        Préciese de buena espada
y de buena cota[516] un hombre,

---

[514] *Fantástica:* «significa también presuntuoso y entonado, y que se desde-
ña de tratar con otros» *(Dicc. de autor).* Covarrubias, por su parte, escribe: «El
que tiene de sí mucha presunción y lo muestra en sus movimientos de cuerpo
y en sus palabras. Tienen una punta de locos los tales, no tomando en chaco-
ta sus cosas los que los tratan».

[515] En B, *pensando.*

[516] *Cota:* «armadura del cuerpo que se usaba antiguamente» *(Dicc. de Autor.).*

del amigo de buen nombre 575
y de opinión siempre honrada,
  de un buen fieltro de camino[517]
y de otras cosas assí;
que una bestia es para mí
un socorro peregrino. 580
  ¡Oh yegua! ¡En menos de un hora
tres leguas! Al viento igualas,
que si le pintan con alas,
tú las tendrás desde agora.
  Ésta es la casa de Antón[518], 585
cuyas paredes confinan
con las mías, que ya inclinan
su peso a mi perdición.
  Llamar quiero; que he pensado
que será bien menester. 590
¡Ah de casa!

[ESCENA XI]

([PERIBÁÑEZ.] *Dentro*, ANTÓN.)

ANTÓN.   ¡Hola, mujer!
¿No os parece que han llamado?
PERIBÁÑEZ.   ¡Peribáñez![519].
ANTÓN.   ¿Quién golpea
a tales horas?
PERIBÁÑEZ.   Yo soy,
Antón.

---

[517] *Fieltro:* «se llama también el capote, o sobretodo, que se hace para defensa del agua, nieve o mal tiempo» *(Dicc. de Autor.).*
  [518] *Ésta es la casa de Antón:* Estos tres versos sirven a modo de acotación; es decir, ante la ausencia de un decorado suficientemente explícito, es el propio personaje quien, con sus palabras, informa de las características del lugar en que se desarrolla la acción.
  [519] Así en las eds. de 1614. Hartzenbusch escribe: *¡Ah de la casa!*

174

ANTÓN.	Por la voz ya voy,	595
	aunque lo que fuere sea.	
	¿Quién es?	
PERIBÁÑEZ.	Quedo, Antón, amigo;	
	Peribáñez soy.	
ANTÓN.	¿Quién?	
PERIBÁÑEZ.	Yo,	
	a quien hoy el cielo dio	
	tan grave y cruel castigo.	600
ANTÓN.	*[Abre.]*	
	Vestido me eché [a dormir⁵²⁰],	
	porque pensé madrugar;	
	ya me agradezco el no estar	
	desnudo. ¿Puédoos servir?	
PERIBÁÑEZ.	Por vuessa casa, mi Antón,	605
	tengo de entrar en la mía,	
	que ciertas cosas de día	
	sombras por la noche son.	
	Ya sospecho que en Toledo	
	algo entendiste de mí.	610
ANTÓN.	Aunque callé, lo entendí.	
	Pero aseguraros puedo	
	que Casilda...	
PERIBÁÑEZ.	No hay que hablar;	
	por ángel tengo a Casilda.	
ANTÓN.	Pues regalalda y servilda⁵²¹.	615
PERIBÁÑEZ.	Hermano, dexadme estar.	
ANTÓN.	Entrad; que si puerta os doy,	
	es por lo que della sé.	
PERIBÁÑEZ.	Como yo seguro esté,	
	suyo para siempre soy.	620

---

⁵²⁰ Las eds. de 1614 dicen *Vestido me eché dormido*, lo cual no tiene sentido. Seguimos la modificación *a dormir* que han adoptado las eds. modernas.

⁵²¹ Aunque las eds. de 1614 dicen *servilda* he preferido escribir *servilda*, con la metátesis utilizada en otras ocasiones en el mismo texto lopesco, puesto que, evidentemente, se trata de un error de impresión. De lo contrario no podría rimar con Casilda. Dado el uso generalizado de estas metátesis, corrijo también *regaladla*.

ANTÓN.	¿Dónde dexáis los soldados?
PERIBÁÑEZ.	Mi alférez con ellos va;
	que yo no he traído acá
	sino sólo mis cuidados.

      Y no hizo la yegua poco   625
en traernos a los dos,
porque hay cuidado, por Dios,
que basta a volverme loco.
(Éntrense.)

[ESCENA XII]

[Calle con vista exterior de la casa de PERIBÁÑEZ.]

(Salga EL COMENDADOR, LUXÁN, *con broqueles*[522] *y los*
MÚSICOS.)

COMENDADOR.	Aquí podéis començar,
	para que os ayude el viento. 630
MÚSICO 2.°	Va de letra.
COMENDADOR.	¡Oh, cuánto siento
	esto que llaman templar!
MÚSICOS.	*(Canten.)*

      Cogióme a tu puerta el toro,
linda casada;
no dixiste: «Dios te valga».   635
El novillo de tu boda
a tu puerta me cogió;
de la vuelta que me dio
se rió la villa toda;
y tú, grave y burladora,   640
linda casada
no dixiste: «¡Dios te valga!».

---

[522] *Broqueles:* «arma defensiva, especie de rodela o escudo redondo, hecho de
madera, cubierto de ante encerado, o baldrés, con su guarnición de hierro al
canto, y en medio una cazoleta de hierro que está hueca para que la mano
pueda empuñar el asa o manija que tiene por la parte interior» *(Dicc. de Autor.)*.

[ESCENA XIII]

(INÉS *a la puerta.*) *[Dichos.]*
(Los MÚSICOS *tocan.)*

INÉS.	¡Cesse[523], señor don Fadrique!
COMENDADOR.	¿Es Inés?
INÉS.	La misma soy.
COMENDADOR.	En pena a las onze estoy.

Tu cuenta el perdón me aplique,
  para que salga de pena[524]. 645

INÉS.	¿Viene Leonardo?
COMENDADOR.	Assegura

a Peribáñez. Procura,
Inés, mi entrada, y ordena 650
  que vea essa piedra hermosa;
que ya Leonardo vendrá.

INÉS.	¿Tardará mucho?
COMENDADOR.	No hará;

pero fue cosa forçosa
  assegurar un marido 655
tan malicioso.

INÉS.	Yo creo

que a estas horas el desseo
de que le vean vestido
  de capitán en Toledo
le tendrá cerca de allá. 660

COMENDADOR.	Durmiendo acaso estará.

¿Puedo entrar? Dime si puedo.

---

[523] Las eds. de 1614 dicen *Cesse;* sin embargo, a partir de Hartzenbusch se ha corregido por *¡Ce! ¡Ce!*

[524] Para la comprensión de estos dos versos téngase en cuenta la creencia popular de que las almas en pena hacen su aparición a partir de las doce de la noche. El Comendador dice estarlo una hora antes. Respecto a *Tu cuenta el perdón me aplique,* el *Dicc. de Autor.* define así *cuenta de perdón:* «Es una cuenta a modo de las del rosario, a quien se dice que el Papa tiene concedida alguna indulgencia en favor de las Ánimas del Purgatorio».

INÉS.	Entra; que te detenía
	por si Leonardo llegaba.
LUXÁN[525].	¿Luxán ha de entrar?
COMENDADOR.	[A uno de los MÚSICOS.]
	Acaba, 665
	Lisardo. Adiós, hasta el día.
	(Éntranse. Quedan los MÚSICOS.)
MÚSICO 1.º	El cielo os dé buen sucesso.
MÚSICO 2.º	¿Dónde iremos?
MÚSICO 1.º	[A]
MÚSICO 2.º	¡Bella moça!
MÚSICO 1.º	Esso... callar.
MÚSICO 2.º	Que tengo envidia confiesso. 670
	(Vanse.)

[ESCENA XIV]

[Sala en casa de PERIBÁÑEZ.]

(PERIBÁÑEZ *solo en su casa.*)

PERIBÁÑEZ.	Por las tapias de la huerta
	de Antón en mi casa entré,
	y deste portal hallé
	la de mi corral abierta.
	En el gallinero quise 675
	estar oculto; mas hallo
	que puede ser que algún gallo
	mi cuidado los avise.
	Con la luz de las esquinas
	le quise ver y advertir, 680
	y vile en medio dormir
	de veinte o treinta gallinas.

---

[525] Transcribo lo que aparece en las eds. de 1614, aunque editores como Z.
Vicente atribuyan estas palabras a Inés.

«Que duermas, dixe, me espantas,
en tan dudosa fortuna;
no puedo yo guardar una,   685
¡y quieres tú guardar tantas!»
    No duermo yo; que sospecho,
y me da mortal congoja
un gallo de cresta roja,
porque la tiene en el pecho[526].   690
    Salí al fin, y cual ladrón
de casa[527], hasta aquí me entré;
con las palomas topé,
que de amor exemplo son;
    y como las vi arrullar,   695
y con requiebros tan ricos
a los pechos por los picos
las almas comunicar,
    dixe: «Oh, maldígale Dios,
aunque grave y altanero,   700
al palomino extranjero
que os alborota a los dos!».
    Los gansos han despertado,
gruñe el lechón[528], y los bueyes
braman; que de honor las leyes   705
hasta el jumentillo atado
    al pesebre con la soga,
desassossiegan por mí;
que soy su dueño, y aquí[529]
ven que ya el cordel me ahoga.   710
    Gana me da de llorar.
Lástima tengo de verme

---

[526] Se refiere a la cruz de Santiago que, bordada, lleva en el pecho el Comendador.

[527] *Y cual ladrón de casa,* sigilosamente.

[528] *Lechón:* «propiamente es el puerco mientras mama, llamándosele así por la leche de que se alimenta; pero ya el uso ha introducido que indistintamente se llamen lechones todos los puercos, de cualquier tamaño o edad que sean» *(Dicc. de Autor.).*

[529] Las eds. de 1614 dicen *que soy dueño oy aquí.* Bonilla, en su ed., corrige *que soy su dueño,* y *aquí.*

179

en tanto mal... —Mas ¿si duerme
Casilda?—. Aquí siento hablar.
    En esta saca de harina   715
me podré encubrir mejor,
que, si es el Comendador,
lexos de aquí me imagina.
(Escóndese.)

[ESCENA XV]

(Inés y Casilda.)

CASILDA.	Gente digo que he sentido.
INÉS.	Digo que te has engañado. 720
CASILDA.	Tú con un hombre has hablado.
INÉS.	¿Yo?
CASILDA.	Tú, pues.
INÉS.	Tú, ¿lo has oído?
CASILDA.	Pues si no hay malicia aquí,
	mira que serán ladrones.
INÉS.	¡Ladrones! Miedo me pones. 725
CASILDA.	Da vozes.
INÉS.	Yo no.
CASILDA.	Yo sí.
INÉS.	Mira que es alborotar
	la vezindad sin razón.

[ESCENA XVI]

(Entren El Comendador *y* Luxán.) *[Dichas.]*

COMENDADOR.	Ya no puede mi afición
	sufrir, temer ni callar. 730
	Yo soy el Comendador,
	yo soy tu señor.
CASILDA.	No tengo
	señor más que a Pedro.

COMENDADOR.   Vengo
                        esclavo, aunque soy señor.
                            Duélete de mí, o diré[530]   735
                        que te hallé con el lacayo
                        que miras.
CASILDA.   Temiendo el rayo,
                        del trueno no me espanté[531].
                            Pues, prima, ¡tú me has vendido!
INÉS.   Anda; que es locura ahora,   740
                        siendo pobre labradora,
                        y un villano tu marido,
                            dexar morir de dolor
                        a un príncipe; que más va
                        en su vida, ya que está   745
                        en casa, que no en tu honor.
                            Peribáñez fue a Toledo.
CASILDA.   ¡Oh prima cruel y fiera[532],
                        vuelta de prima, tercera![533].
COMENDADOR.   Dexadme, a ver lo que puedo.   750
                        (Váyanse.)
LUXÁN.   Dexémoslos; que es mejor.
                        A solas se entenderán.

---

[530] Las eds. de 1614 dicen *o diréte,* por lo que el verso es eneasílabo. Es
preciso suprimir el pronombre, como hizo Hartzenbusch.

[531] *Temiendo el rayo, / del trueno no me espanté.* Para la comprensión de estos
versos téngase en cuenta el refrán «Huir del trueno y dar con el relámpago»,
cuyo sentido, según Correas, es «caer en mayor peligro».

[532] Si se mide el verso sin ninguna licencia métrica, resulta un heptasílabo.
Para conseguir las ocho sílabas necesarias, hay que suponer la palabra *crüel* (o
fiera) con diéresis.

[533] Lope juega con los dos sentidos de *prima:* a) parentesco, b) primera. La
tercera es la alcahueta.

[ESCENA XVII]

[CASILDA, COMENDADOR. *Luego sale* PERIBÁÑEZ.]

CASILDA. Mujer soy de un capitán
si vos sois[534] comendador.
    Y no os acerquéis a mí,   755
porque a bocados y a cozes[535]
os haré...

COMENDADOR.   Passo[536] y sin vozes.

([Sale] PERIBÁÑEZ.)

PERIBÁÑEZ. ¡Ay honra! ¿Qué aguardo aquí?[537].
    Mas soy pobre labrador...
bien será llegar y hablalle...   760
pero mejor es matalle.

[Adelantándose con la espada desenvainada.]
Perdonad, Comendador;
    que la honra es encomienda
de mayor autoridad.

[Hiere al COMENDADOR.]

COMENDADOR. ¡Jesús! Muerto soy. ¡Piedad!   765

PERIBÁÑEZ. No temas, querida prenda;
    mas sígueme por aquí.

CASILDA. No te hablo de turbada. *(Éntrense.)*

(Siéntese el COMENDADOR en una silla.)

COMENDADOR. Señor, tu sangre sagrada
se duela agora de mí,   770
    pues me ha dexado la herida
pedir perdón a un vassallo[538].

---

[534] En M, *sos*.

[535] En B, *coces*.

[536] *Passo*: «usado como adverbio vale lo mismo que blandamente, quedo» *(Dicc. de Autor.)*.

[537] Las vacilaciones a la hora de reparar la honra son frecuentísimas en el teatro barroco. Éstas se producen por el enfrentamiento entre dos tendencias que existen en el individuo. De una parte, la espontánea, de no violencia ni riesgo; de otra, la norma social que invita a la reparación.

[538] En P, *vasallo*.

[ESCENA XVIII]

(LEONARDO *entre.*)

LEONARDO.	Todo en confusión lo hallo.
	¡Ah, Inés! ¿Estás escondida?
	¡Inés!
COMENDADOR.	Vozes oyo[539] aquí. 775
	¿Quién llama?
LEONARDO.	Yo soy, Inés.
COMENDADOR.	¡Ay, Leonardo! ¿No me ves?
LEONARDO.	¿Mi señor?
COMENDADOR.	Leonardo, sí.
LEONARDO.	¿Qué te ha dado? Que parece
	que muy desmayado estás. 780
COMENDADOR.	Diome la muerte no más.
	Más el que ofende merece.
LEONARDO.	¡Herido! ¿De quién?
COMENDADOR.	No quiero
	vozes ni vengaças ya.
	Mi vida en peligro está, 785
	sola la del alma espero.
	No busques, ni hagas extremos,
	pues me han muerto con razón[540].
	Llévame a dar confesión
	y las vengaças dexemos. 790
	A Peribáñez perdono.

---

[539] *Oyo* es una forma analógica para la primera persona de indicativo del verbo *oír*.

[540] En general, todos estos parlamentos del Comendador sirven para caracterizar su catadura moral. Lope ha puesto especial cuidado en pintarlo como un hombre esencialmente bondadoso y con las virtudes caballerescas, rasgos estos que son contrarrestados por una enajenación momentánea al conocer a Casilda y enamorarse de ella; sin embargo, obsérvese cómo muere tras haber solicitado el perdón del marido ultrajado y demandando confesión. Este verso concretamente sirve para atemperar la gravedad del asunto de la comedia: que un simple villano vengue su honor en la figura de todo un comendador. La misma función la encontramos un poco más abajo, a partir del v. 794.

LEONARDO.	¿Que un villano te mató,
	y que no lo vengo yo?
	Esto siento.
COMENDADOR.	Yo le abono.
	No es villano, es caballero; 795
	que pues le ceñí la espada
	con la guarnición dorada,
	no ha empleado mal su azero.
LEONARDO.	Vamos, llamaré a la puerta
	del Remedio[541].
COMENDADOR.	Sólo es Dios. 800

(*Váyanse.*)

[ESCENA XIX]

(LUXÁN, *enharinado;* INÉS, PERIBÁÑEZ, CASILDA.)

PERIBÁÑEZ.	Aquí moriréis los dos[542].
INÉS.	Ya estoy, sin heridas, muerta.
	[Salen huyendo LUXÁN e INÉS.]
LUXÁN.	Desventurado Luxán,
	¿dónde podrás esconderte?
PERIBÁÑEZ.	Ya no se excusa tu muerte. 805
LUXÁN.	¿Por qué, señor capitán?
PERIBÁÑEZ.	Por fingido segador.
INÉS.	Y a mí, ¿por qué?
PERIBÁÑEZ.	Por traidora.

(*Huya* LUXÁN, *herido y luego* INÉS). [PERIBÁÑEZ *detrás,*
persiguiéndolos.]

---

[541] *Puerta del Remedio.* Se refiere a la puerta de la Cofradía de Nuestra Señora de los Remedios, institución que cuidaba de los enfermos. Por otra parte, *Remedio* sirve para un nuevo juego disémico; primeramente, significa la advocación de la Virgen que da nombre a la cofradía; mientras que a renglón seguido se sobreentiende que «el remedio es sólo Dios», con lo que pasa a significar «salvación».

[542] El marido ultrajado estaba obligado a vengarse de todos los que intervinieron en la ofensa, dándoles muerte. Peribáñez, en su caso, mata a Inés y a Leonardo por alcahuetes.

| LUXÁN. | ¡Muerto soy! | |
| INÉS. | | ¡Prima y señora! |

[ESCENA XX]

[Vuelve PERIBÁÑEZ; CASILDA.*]*

CASILDA.	No hay sangre donde hay honor.	810
PERIBÁÑEZ.	Cayeron en el portal.	
CASILDA.	Muy justo ha sido el castigo.	
PERIBÁÑEZ.	¿No irás, Casilda, conmigo?	
CASILDA.	Tuya soy al bien o al mal.	
PERIBÁÑEZ.	A las hancas dessa yegua	815
	amanecerás conmigo	
	en Toledo.	
CASILDA.	Y a pie[543], digo.	
PERIBÁÑEZ.	Tierra en medio es buena tregua	
	en todo acontecimiento,	
	y no aguardar al rigor.	820
CASILDA.	Dios haya al Comendador.	
	Matóle su atrevimiento. *(Váyanse.)*	

[ESCENA XXI]

[Galería del Alcázar de Toledo.]

(Entre EL REY ENRIQUE *y* EL CONDESTABLE.*)*

REY.	Alégrame de ver con qué alegría	
	Castilla toda a la jornada viene[544].	
CONDESTABLE.	Aborrecen, señor, la monarquía	825
	que en nuestra España el africano tiene.	

---

[543] *Y a pie...* H. Ureña atribuye el parlamento a *Barrildo.*

[544] Obsérvese que el Rey se expresa en un registro lingüístico muy culto y muy cuidado. Lope está adecuando en todo momento su practica teatral a su

REY.	Libre pienso dexar la Andaluzía,
	si el exército nuestro se previene,
	antes que el duro invierno con su yelo
	cubra los campos y enternezca el suelo. 830
	Iréis, Juan de Velasco, previniendo,
	pues que la Vega da lugar bastante,
	el alarde[545] famoso[546] que pretendo,
	por que la fama del concurso espante
	por esse Tajo aurífero, y subiendo 835
	al muro por escalas de diamante,
	mire de pabellones[547] y de tiendas
	otro Toledo por las verdes sendas.
	Tiemble en Granada el atrevido moro
	de las rojas banderas y pendones. 840
	Convierta su alegría en triste lloro.
CONDESTABLE.	Hoy me verás formar los escuadrones.
REY.	La Reina viene, su presencia adoro.
	No ayuda mal en estas ocasiones.

teoría del *Arte nuevo*. En este sentido, recuérdense los vv. 269-270: «Si hablare el rey, imite cuanto pueda / la gravedad real» (cfr. J. M. Rozas, *Significado y doctrina...*, pág. 116.) Por esa misma razón cambia el metro y sustituye el octosílabo por el endecasílabo que es un verso mucho más solemne y que disponía de una amplísima tradición culta. Para el empleo de la octava, véase Diego Marín, *Uso y función de la versificación dramática en Lope de Vega*, Madrid, Estudios de Hispanófila, 2.ª ed., 1968, págs. 41-49.

[545] *Alarde*: «la muestra o reseña que se hace de los soldados: la cual ejecuta el comisario destinado para este efecto, a fin de reconocer si está completo el número que cada compañía debe tener, y si tienen las armas limpias y bien acondicionadas, y todo lo demás de su uso en buena disposición. Y en esta consideración antiguamente expresaba esta voz algo de ostentación, gala y lucimiento por el que los soldados ostentaban en esta función» *(Dicc. de Autor.)*.

[546] Véase la n. 130.

[547] *Pabellones*: «especie de tienda de campaña, de hechura redonda por abajo y que fenece en punta por arriba» *(Dicc. de Autor.)*.

186

[ESCENA XXII]

(La Reina[548] y acompañamiento.) [Dichos.]

REINA.	Si es de importancia, volveréme[549] [luego. 845
REY.	Cuando[550] lo sea, que no os vais os [ruego.
	¿Qué puedo yo tratar de paz, señora, en que vos no podáis darme consejo? Y si es de guerra lo que trato agora, ¿cuándo con vos, mi bien, no me [aconsejo? 850 ¿Cómo queda don Juan[551]?
REINA.	Por veros [llora.
REY.	Guárdele Dios; que es un divino espejo, donde se ven agora retratados, mejor que los presentes, los passados.
REINA.	El príncipe don Juan es hijo vuestro; 855 con esto sólo encarecido queda.
REY.	Mas con dezir que es vuestro, siendo [nuestro, él mismo dize la virtud que encierra.
REINA.	Hágale el cielo en imitaros diestro; que con esto no más que le conceda, 860 le ha dado todo el bien que le desseo.
REY.	De vuestro generoso amor lo creo.

---

548 Se trata de Catalina de Lancaster.

549 Doy la lectura de M, pues P y B dicen *volverme*.

550 *Cuando* con valor concesivo: «aunque». *Vais* en lugar de *vayáis* es forma frecuente en el Siglo de Oro.

551 Se refiere al hijo que le sucedió en la corona con el nombre de Juan II.

187

REINA. Como tiene dos años[552], le quisiera
de edad que esta jornada acompañara
vuestras banderas.

REY. ¡Oxalá pudiera, 865
y a ensalçar[553] la de Cristo començara!

[ESCENA XXIII]

(GÓMEZ MARINQUE *entre.*) *[Dichos]*

REY. ¿Qué caxa[554] es éssa?
GÓMEZ. Gente de la Vera
y Extremadura.
CONDESTABLE. De Guadalajara
y Atiença passa gente.
REY. ¿Y la de Ocaña?
GÓMEZ. Quédase atrás por una triste hazaña. 870
REY. ¿Cómo?
GÓMEZ. Dize la gente que ha llegado
que a don Fadrique un labrador ha
[muerto.
REY. ¡A don Fadrique y al mejor soldado
que truxo roja cruz![555]
REINA. ¿Cierto?[556]
GÓMEZ. Y muy
[cierto.

---

[552] Este dato nos sirve para identificar el momento histórico en que se encla-
va la acción. Como Juan II había nacido en 1405, en Toro, estamos en 1407.

[553] B escribe *ençalçar.*

[554] Véase la n. 447.

[555] Nueva referencia a la insignia de la Orden de Santiago que, bordada en
el pecho, portaba el Comendador.

[556] Las eds. de 1614 dicen *¿Es cierto?* y lo ponen en boca del Rey. Hartzenbusch lo corrigió acertadamente, suprimiendo la forma verbal *es,* de modo
que el verso queda con 11 sílabas. También este editor atribuyó el parlamento a la Reina.

Rey.	En el alma, señora, me ha pesado.	875
	¿Cómo fue tan notable desconcierto?	
Gómez.	Por zelos.	
Rey.	¿Fueron justos?	
Gómez.	Fueron locos.	
Reina.	Zelos, señor, y cuerdos, habrá pocos.	
Rey.	¿Está preso el villano?	
Gómez.	Huyóse luego	
	con su mujer.	
Rey.	¡Qué desvergüença ex-[traña!	880
	¡Con estas nuevas a Toledo llego!	
	¿Assí de mi justicia tiembla España⁵⁵⁷?	
	Dad un pregón en la ciudad, os ruego,	
	Madrid, Segovia, Talavera, Ocaña,	
	que a quien los diere presos, o sea⁵⁵⁸ [muertos,	885
	tendrán de renta mil escudos ciertos.	
	Id [luego] y que ninguno [los] [encubra⁵⁵⁹	
	ni pueda dar sustento ni otra cosa,	
	so pena de la vida.	
Gómez.	Voy. *[Vase.]*	
Rey.	¡Que cubra	
	el cielo aquella mano rigurosa!	890
Reina.	Confiad que tan presto se descubra	
	cuanto llega la fama codiciosa	
	del oro prometido.	

---

⁵⁵⁷ P, por error, dice *Espa*.
⁵⁵⁸ Las eds. de 1614 dicen *o sean*.
⁵⁵⁹ Para que el verso sea endecasílabo son precisas las adiciones de Hartzenbusch, transcritas entre corchetes.

[ESCENA XXIV]

(UN PAJE *entre*)[560]. [UN SECRETARIO. *Dichos.*]

PAJE.   Aquí está Arceo,
        acabado el guión[561].

REY.   Verle desseo.

*(Entre UN SECRETARIO con un pendón rojo, y en él las armas de
Castilla, con una mano arriba que tiene una espada, y en la otra
banda un Cristo crucificado.)*

SECRETARIO.	Éste es, señor, el guión.	895
REY.	Mostrad. Paréceme bien;	
	que este Capitán también	
	lo fue de mi redención.	
REINA.	¿Qué dizen las letras?	
REY.	Dizen:	
	«Juzga tu causa, Señor».	900
REINA.	Palabras son de temor.	
REY.	Y es razón que atemorizen.	
REINA.	Destotra parte, ¿qué está?	
REY.	El castillo y el león,	
	y esta mano por blasón,	905
	que va castigando ya.	
REINA.	¿La letra?	
REY.	Sólo mi nombre.	
REINA.	¿Cómo?	
REY.	«Enrique Justiciero»;	
	que ya, en lugar de Tercero,	
	quiero que este nombre assombre.	910

---

[560] En B, esta acotación está situada inmediatamente después de que el
personaje pronuncie sus primeras palabras.

[561] *Guión:* «se llama también el estandarte real que en algunas funciones va
delante del Rey: el cual lleva el paje más antiguo» *(Dicc. de Autor.).*

[ESCENA XXV]

(Entre GÓMEZ.) [Dichos.]

GÓMEZ.	Ya se van dando pregones,
	con llanto de la ciudad.
REINA.	Las piedras mueve a piedad.
REY.	Basta. ¡Qué! Los azadones,
	¿a las cruzes de Santiago 915
	se igualan? ¿Cómo o por dónde?[562].
REINA[563].	¡Triste dél si no se esconde!
REY.	Voto y juramento hago
	de hazer en él un castigo
	que ponga al mundo temor. 920

[ESCENA XXVI]

(UN PAJE.) [Dichos.]

PAJE.	[Al Rey.]
	Aquí dize un labrador
	que le importa hablar contigo.
REY.	Señora, tomemos sillas.
CONDESTABLE.	Este algún aviso es.

---

[562] Clara apología de la sociedad estamental del siglo XVII.
[563] En B, por error, el parlamento se pone en boca del Rey nuevamente.

[ESCENA XXVII]

(Entre PERIBÁÑEZ, *todo de labrador, con capa larga, y su mujer[564].)*
[Dichos.]

PERIBÁÑEZ.	Dame, gran señor, tus pies.	925
REY.	Habla, y no estés de rodillas.	
PERIBÁÑEZ.	¿Cómo, señor, puedo hablar,	
	si me ha faltado la habla	
	y turbados los sentidos	
	después que miré tu cara?	930
	Pero, siéndome forçoso,	
	con la justa confiança	
	que tengo de tu justicia,	
	comienço tales palabras.	
	Yo soy Peribáñez...	
REY.	¿Quién?	935
PERIBÁÑEZ.	Peribáñez, el de Ocaña.	
REY.	Matalde[565], guardas, matalde.	
REINA.	No en mis ojos. Teneos, guardas.	
REY.	Tened respeto a la Reina.	
PERIBÁÑEZ.	Pues ya que matarme mandas,	940
	¿no me oirás siquiera, Enrique,	
	pues Justiciero te llaman?	
REINA.	Bien dize: oílde, señor.	
REY.	Bien dezís[566]; no me acordaba	
	que las partes se han de oír,	945
	y más cuando son tan flacas.	
	Prosigue.	

---

[564] En las eds. de 1614 esta acotación está escrita tras el v. 922.

[565] Recuérdese que las metátesis en las formas de imperativo son muy frecuentes en los dramas barrocos. Un poco más abajo encontraremos otro caso, *oíldo*.

[566] En B, se lee *dizes*.

PERIBÁÑEZ.   Yo soy un hombre[567],
                      aunque de villana casta,
                      limpio de sangre[568], y jamás
                      de hebrea o mora manchada.   950
                      Fui el mejor de mis iguales,
                      y, en cuantas cosas trataban,
                      me dieron primero voto,
                      y truxe seis años vara[569].
                      Caséme[570] con la que ves,   955
                      también limpia, aunque villana;
                      virtuosa[571]; si la ha visto
                      la envidia assida a la fama.
                      El Comendador Fadrique,
                      de vuessa villa de Ocaña   960
                      señor y Comendador,
                      dio, como moço, en amarla.
                      Fingiendo que por servicios,
                      honró mis humildes casas
                      de unos reposteros, que eran   965
                      cubiertos de tales cargas.
                      Diome un par de mulas buenas...
                      mas no tan buenas; que sacan
                      este carro de mi honra
                      de los lodos de mi infamia.   970
                      Con esto intentó una noche,
                      que ausente de Ocaña estaba,
                      forçar mi mujer[572]; mas fuesse
                      con la esperança burlada.
                      Vine yo, súpelo todo,   975
                      y de las paredes baxas

---

[567] En las eds. de 1614 se dice *Yo soy, señor, un hombre*. Suprimimos el vocativo para que el verso sea octosílabo.

[568] *Limpio de sangre*. Recuérdese lo que se dijo en la Introducción acerca de
esta cuestión. Uno de los grandes atributos de que se vanagloriaba el villano
era de su sangre de cristiano viejo, sin mezcla de hebreos ni de árabes.

[569] Peribáñez hace referencia a que durante seis años fue alcalde de su ciudad.

[570] En P, por error, *caséma*.

[571] *Virtüosa* con diéresis por necesidades métricas.

[572] Complemento directo personal sin preposición *a*.

quité las armas, que al toro
pudieran servir de capa.
Advertí mejor su intento;
mas llamóme una mañana, 980
y díxome que tenía
de Vuestras Altezas cartas,
para que con gente alguna
le sirviesse esta jornada;
en fin, de cien labradores 985
me dio la valiente escuadra.
Con nombre de capitán
salí con ellos de Ocaña;
y como vi que de noche
era mi deshonra clara, 990
en una yegua, a las diez,
de vuelta en mi casa estaba;
que oí dezir a un hidalgo
que era bienaventurança
tener en las ocasiones 995
dos yeguas buenas en casa.
Hallé mis puertas rompidas
y mi mujer destocada,
como corderilla simple
que está del lobo en las garras. 1000
Dio vozes, llegué, saqué
la misma daga y espada
que ceñí para servirte,
no para tan triste hazaña;
passéle el pecho, y entonces 1005
dexó la cordera blanca,
porque yo, como pastor,
supe del lobo quitarla.
Vine a Toledo, y hallé
que por mi cabeça daban 1010
mil escudos; y assí quise
que mi Casilda me traiga.
Hazle esta merced, señor;
que es quien agora la gana,

	porque viüda[573] de mí,	1015
	no pierda prenda tan alta.	
REY.	¿Qué os parece?	
REINA.	Que he llorado;	
	que es la respuesta que basta	
	para ver que no es delito,	
	sino valor.	
REY.	¡Cosa extraña!	1020
	¡Que un labrador tan humilde	
	estime tanto su fama!	
	¡Vive Dios, que no es razón	
	matarle! Yo le hago gracia	
	de la vida... Mas ¿qué digo?	1025
	Esto justicia se llama.	
	Y a un hombre deste valor	
	le quiero en esta jornada	
	por capitán de la gente	
	misma que sacó de Ocaña.	1030
	Den a su mujer la renta,	
	y cúmplase mi palabra;	
	y después desta ocasión,	
	para la defensa y guarda	
	de su persona, le doy	1035
	licencia de traer armas	
	defensivas y ofensivas.	
PERIBÁÑEZ.	Con razón todos te llaman	
	don Enrique el Justiciero.	
REINA.	A vos, labradora honrada,	1040
	os mando[574] de mis vestidos	
	cuatro, porque andéis con galas,	
	siendo mujer de soldado.	

---

573 *Viüda* con diéresis por necesidades métricas.
574 *Mando,* prometo. Véase la n. 358.

PERIBÁÑEZ.   Senado[575], con esto acaba
la tragicomedia[576] insigne   1045
del *Comendador de Ocaña*[577].

FIN DE LA TRAGICOMEDIA DE «PERIBÁÑEZ
Y EL COMENDADOR DE OCAÑA»

---

[575] *Senado*, es muy frecuente que al final de las piezas, un personaje se diri-
ja al público con este apóstrofe que deriva de la comedia latina. Edwin S.
Morby, en su ed. cit. de *La Dorotea*, pág. 457, n. 209, recuerda que de 27 obras
dramáticas contenidas en B.A.E., tomo XXIV, 16 emplean este apóstrofe.

[576] Véase E. S. Morby, «Some observations on *tragedia* and *tragicomedia* in
Lope», en *Hispanic Review*, XI, 1943, págs. 182-209.

[577] Aunque al principio aparecía el título de *Peribáñez y el Comendador de
Ocaña*, por lo que se dice en este verso, el que Lope dio a la comedia fue el
de *El Comendador de Ocaña*. Lo reafirma el hecho de que en *El peregrino en su
patria* la cita nuevamente con este último título.